読者の皆様へ

　読者の皆様へ皆様におかれましてはご健勝のこととお喜び申し上げます。『近世繪圖地圖資料集成』第 22 巻と致しまして、「千島・樺太・蝦夷（7）」を上梓することができました。発行の遅延を深くお詫びする次第です。このシリーズも 2018 年度までに全部で 22 巻を刊行することができました。ここまで、この出版活動が長く継続できたのも、ひとえに、読者の皆様の支えがあったからこそのことであると、心から感謝の気持ちを捧げる所存です。

　さて、この第 13 巻以降は、フル・カラー版で刊行することになりました。第 12 巻までは、黒白版でも解読や研究が可能な、町村繪圖、測量圖、見取圖、概略圖などの地圖群を主として掲載してまいりましたが、13 巻以降は、色別でしか表現できない詳細な地誌情報などが埋蔵されている國繪圖、河川圖、植生圖、広域圖、郡圖、変遷町村繪圖などの資料を全世界で博捜して、整理・統合・解析の過程を踏んだうえで、公刊する所存です。これからもご支援をお願い致します。また、『近世繪圖地圖資料集成』第 4 巻（「蝦夷」）、『近世繪圖地圖資料集成』第 18 〜 23 巻（「千島・樺太・蝦夷（3）〜（8）」）を含む、全ての北方繪圖・地圖の解説篇と致しまして、「江戸時代における北方繪圖・地圖解題目録」（List and Contents: Maps and Pictures of Yezo, Kuril Islands and Sakhalin）を上梓致しました。この地図集成をお買い上げいただいた方々に寄贈する所存です。これらの解説につきましては、高木崇世芝先生が執筆致しました。そして、この 22 巻の「一覧表・目次」（List and Contents）も同時に掲載することができました。この 22 巻の詳細な内容につきましては、3-5 ページ以降をご参照ください。

　なお、『近世繪圖地圖資料集成』（第 17 巻）と致しまして、「元禄國繪圖集成」を既に刊行致しましたが、「一覧表・目次」（List and Contents）の製作に時間がかかり、約束通りに、皆様にお届けすることができない状況になっています。小社の不徳の致すところで、深くお詫びする次第です。近日中にお届けできることを目標に鋭意奮闘していますので、御海容の気持ちで接していただけることをお願い致します。

2018 年 1 月 12 日
編者識

The Collected Maps and Pictures Produced in Yedo Era: First Series

近世繪圖地圖資料研究会　編

(Edited by The Society of the Study of Maps and Pictures in Yedo Era)

A2 版・袋入・限定 100 部・分売可 各巻本体価格　250,000 円

［第一シリーズ（黒白版）の内容構成：全巻完結］

（01）千島・樺太・蝦夷［1］（1996 年 6 月刊行・第 1 回配本）
　　　［ISBN4-7603-0127-5 C3325 ¥250000E］

（02）千島・樺太・蝦夷［2］（2001 年 6 月刊行・第 6 回配本）
　　　［ISBN4-7603-0128-3 C3325 ¥250000E］

（03）江戸（1997 年 5 月刊行・第 2 回配本）
　　　［ISBN4-7603-0129-10 C3325 ¥250000E］

（04）蝦夷（2002 年 5 月刊行・第 7 回配本）
　　　［ISBN4-7603-0130-5 C3325 ¥250000E］

（05）尾張［1］（1999 年 5 月刊行・第 4 回配本）
　　　［ISBN4-7603-0131-3 C3325 ¥250000E］

（06）尾張［2］・三河（2000 年 5 月刊行・第 5 回配本）
　　　［ISBN4-7603-0132-1 C3325 ¥250000E］

（07）大坂・堺・摂津・河内・和泉（1998 年 5 月刊行・第 3 回配本）
　　　［ISBN4-7603-0133-X C3325 ¥250000E］

（08）丹後・丹波・山城・京都（2004 年 6 月刊行・第 9 回配本）
　　　［ISBN4-7603-0134-8 C3325 ¥250000E］

（09）若狭／越前／加賀・能登・越中［1］（2005 年 7 月刊行・第 10 回配本）
　　　［ISBN4-7603-0150-X C3325 ¥250000E］

（10）加賀・能登・越中［2］（2006 年 7 月刊行・第 11 回配本）
　　　［ISBN4-7603-0159-3 C3325 ¥250000E］

（11）加賀・能登・越中［3］（2007 年 6 月刊行・第 12 回配本）
　　　［ISBN4-7603-0160-7 C3325 ¥250000E］

（12）對馬・壹岐・肥前・長崎（2003 年 5 月刊行・第 08 回配本）
　　　［ISBN4-7603-01610-5 C3325 ¥250000E］

The Collected Maps and Pictures Produced in Yedo Era: Second Series

近世繪圖地圖資料研究会　編

(Edited by The Society of the Study of Maps and Pictures in Yedo Era)

A2 版・袋入・限定 100 部・分売可 各巻本体価格　250,000 円

［第二シリーズ（フル・カラー版）の内容構成］

（13）天保國繪圖集成・東日本篇（2008 年 9 月刊行・第 13 回配本）
　　［ISBN4-7603-0370-0 C3325 ¥250000E］

（14）天保國繪圖集成・西日本篇（2009 年 9 月刊行・第 14 回配本）
　　［ISBN4-7603-0371-3 C3325 ¥250000E］

（15）正保國繪圖集成・東日本篇（2010 年 12 月刊行・第 15 回配本）
　　［ISBN4-7603-0372-4 C3325 ¥250000E］

（16）正保國繪圖集成・西日本篇（2012 年 2 月刊行・第 16 回配本）
　　［ISBN4-7603-0373-1 C3325 ¥250000E］

（17）元禄國繪圖集成（2013 年 2 月刊行・第 17 回配本）
　　［ISBN4-7603-0374-8 C3325 ¥250000E］

（18）千島・樺太・蝦夷［3］（2013 年 10 月刊行・第 18 回配本）
　　［ISBN4-7603-0375-5 C3325 ¥250000E］

（19）千島・樺太・蝦夷［4］（2014 年 12 月刊行・第 19 回配本）
　　［ISBN4-7603-0376-2 C3325 ¥250000E］

（20）千島・樺太・蝦夷［5］（2015 年 12 月刊行・第 20 回配本）
　　［ISBN4-7603-0377-9 C3325 ¥250000E］

（21）千島・樺太・蝦夷［6］（2016 年 12 月刊行・第 21 回配本）
　　［ISBN4-7603-0378-6 C3325 ¥250000E］

（22）千島・樺太・蝦夷［7］（2018 年 1 月刊行・第 22 回配本）
　　［ISBN4-7603-0379-3 C3325 ¥250000E］

（23）武蔵・下野・上野・常陸・上總・下總・安房・相模・甲斐［總合、荒川水系］
　　（2018 年 5 月刊行予定・第 23 回配本）［ISBN4-7603-0379-3 C3325 ¥250000E］

（24）武蔵・相模・甲斐［多摩川・相模川水系］（2019 年 5 月刊行予定・第 24 回配本）

（25）武蔵・下野・上野・常陸・上總・下總・安房［利根川水系］（2020 年 5 月刊行予定・
　　第 25 回配本）

（26）陸奥・陸中・羽後・陸前・羽前・磐城・岩代（2021 年 5 月刊行予定・第 26 回配本）

（27）播磨・但馬・因幡・伯耆・出雲・石見・備前・備中・備後・美作・安芸・周防・長門
　　（2022 年 5 月刊行予定・第 27 回配本）

（28）筑前・筑後・肥前・豊前・豊後・肥後・日向・大隅・薩摩・對馬
　　（2023 年 12 月刊行予定・第 28 回 配本）

（29）日本圖（2024 年 5 月刊行予定・第 29 回配本）

（30）世界圖（2025 年 5 月刊行予定・第 30 回配本）

［第 22 巻の内容と構成］

（1）この『近世繪圖地圖資料集成』第 22 巻は、18 項目、110 枚で構成されています。1 枚につきひとつの番号が与えられています。{例}松前屏風　宝暦年間：YM077-00-01［索引図］，YM077-01［05427］，YM077-02［05428］，YM077-03［05429］，YM077-04［05430］【松前町】。この　YM は地圖群の略記號、077 は項目番号、01 は、この項目を構成する枝番号、05430 は用紙の番号でもあり、通巻のページを意味しています。項目は地図の名称のことです。この場合、YM077-00-01 は索引図であることを示しています。「松前屏風　宝暦年間」が表題、【松前町】が所蔵機関です。

（2）この『近世繪圖地圖資料集成』第 22 巻は、A2 版の袋 2 個の中に、全部の地図が収められています。各袋の内容は、以下の一覧表を参照してください。

（3）読者の便を考えて、線と文字と色を出すことに留意し、地図は拡大したものもあります。殊に、水面、湖面、海面を表現している群青色の部分に書かれている「註記」などが解読できるように創意工夫を施しましたのでご留意ください。

（4）仕上がりのサイズは、A2 版（455mm x 625mm--- 版面は 355mm x 500mm）で、袋に収納し、それらをケースに入れました。

（5）配列は、右から左、そして、上から下を原則としました。また、例外のものもあることを、ご考慮下さい。

（6）被差別部落、地名及び人名の俗称などに関しましては、本田豊先生（東京人権歴史資料館）のご校閲を仰ぎ、学術的な一次資料という観点から処置致しました。

（7）表題は内題を使用致しました。ただ、内題がないものは、題箋に書かれている名称を採用致しました。

（8）この『近世繪圖地圖資料集成』第 22 巻の刊行に際しましては、以下の関係諸機関の許可のもとに刊行することになりました。[1] 松前町、[2] 国文学研究資料館、[3] 秋田県公文書館、[4] 千秋文庫博物館、[5] 三井文庫、[6] もりおか歴史文化館、[7] 東北大学附属図書館、[8] 北海道大学附属図書館、[9] 市立米沢図書館、[10] 弘前市立弘前図書館。関係者各位のご厚情に深く感謝致します。

一覧表（A）［9項目、54枚］

（1）松前屏風　宝暦年間：YM077-00-01［索引図］，YM077-01［05427］，YM077-02［05428］，YM077-03［05429］，YM077-04［05430］【松前町】

（2）松前市中地図　文化3年：YM078-00-01［索引図］，YM078-01［05431］，YM078-02［05432］，YM078-03［05433］，YM0768-04［05434］，YM08-05［05435］，YM078-06［05436］【国文学研究資料館「津軽家文書」】

（3）江刺市中地図　文化3年：YM079-00-01［索引図］，YM079-01［05437］，YM079-02［05438］，YM079-03［05439］，YM079-04［05440］【国文学研究資料館「津軽家文書」】

（4）松前市中絵図　文化4年：YM080-00-01［索引図］，YM089-01［05441］，YM089-02［05442］，YM089-03［05443］，YM089-04［05444］，YM089-05［05445］，YM089-06［05446］【秋田県公文書館】

（5）松前市中地図：YM081-00-01［索引図］，YM081-01［05447］，YM081-02［05448］，YM081-03［05449］，YM081-04［05450］，YM081-05［05451］，YM081-06［05452］【千秋文庫博物館】

（6）餌指湊地図：YM082-00-01［索引図］，YM082-01［05453］，YM082-02［05454］，YM082-03［05455］，YM082-04［05456］【千秋文庫博物館】

（7）奥州松前之図　文政5年写：YM083-00-01［索引図］，YM083-01［05457］，YM083-02［05458］，YM083-03［05459］，YM083-04［05460］，YM083-05［05461］【三井文庫】

（8）松前御城細縮図：YM084-00-01［索引図］，YM084-01［05462］，YM084-02［05463］，YM084-03［05464］，YM084-04［05465］，YM084-05［05466］，YM084-06［05467］【もりおか歴史文化館】

（9）箱館市中細絵図　嘉永7年写：YM085-00-01［索引図］，YM085-01［05468］，YM085-02［05469］，YM085-03［05470］，YM085-04［05471］【東北大学附属図書館】

一覧表（B）［9項目、56枚］

（10）箱館全図　安政2年　南部藩作成：YM086-00-01［索引図］，YM086-01［05472］，YM086-02［05473］，YM086-03［05474］，YM086-04［05475］，YM086-05［05476］，YM086-06［05477］，YM086-07［05478］，YM086-08［05479］

【北海道大学附属図書館】

（11）南部津軽松前浜通絵図：YM087-00-01［索引図］，YM087-01［05480］，YM087-02［05481］，YM087-03［05482］，YM087-04［05483］，YM087-05［05484］，YM087-06［05485］，YM087-07［05486］，YM087-08［05487］，YM087-09［05488］，YM087-10［05489］，YM087-11［05490］，YM087-12［05491］

【市立米沢図書館「岩瀬家文書」】

（12）津軽海峡航海図（木版図）：YM088-00-01［索引図］，YM088-01［05492］

【弘前市立弘前図書館「伊東家文書」】

（13）箱館近海亜人測量図（2枚組）：YM089-00-01［索引図］，YM089-01［05493］，YM089-02［05494］，YM089-03［05495］，YM089-04［05496］

【もりおか歴史文化館】

（14）箱館近海亜人測量図（2枚組）：YM089-00-02［索引図］，YM089-05［05497］，YM089-06［05498］，YM089-07［05499］，YM089-08［05500］

【もりおか歴史文化館】

（15）東蝦夷地ウス場所絵図面：YM090-00-01［索引図］，YM090-01［05501］，YM090-02［05502］，YM090-03［05503］，YM090-04［05504］，YM090-05［05505］

【東北大学附属図書館】

（16）東蝦夷サル場所絵図：YM091-00-01［索引図］，YM091-01［05506］，YM091-02［05507］，YM091-03［05508］，YM091-04［05509］，YM091-05［05510］

【東北大学附属図書館】

（17）西蝦夷地石狩場所絵図（模写）：YM092-00-01［索引図］，YM092-01［05511］，YM092-02［05512］，YM092-03［05513］，YM092-04［05514］

【北海道大学附属図書館】

（18）福山江差地方絵図：YM093-00-01［索引図］，YM093-01［05515］，YM093-02［05516］，YM093-03［05517］，YM093-04［05518］【東北大学附属図書館】

近世絵図地図資料集成
（江戸時代における北方圖）

髙木崇世芝 解説

第Ⅰ巻　千島・樺太・蝦夷 [1]

001 ゑぞの絵図（鳥羽城主稲垣摂津守旧蔵）　　115cm × 68cm

形態・員数：写、折図、1枚

所蔵機関：市立函館図書館 H-0073　　　　　　　　　　整理番号：I-039

解説：正保度日本総図に初めて見える図形で、その後、元禄度・享保度と三度の日本総図に見える。いわゆる国絵図系蝦夷図の1枚であり、同種の図は10点程知られている。本図は、その中で最も古い1枚である。すなわち、図中の付箋に記される有珠岳・内浦岳の噴火の年代から計算して、この図は寛文8年当時のものと推定できる。前年の寛文7年6月、蝦夷地内の和人地を視察した幕府の巡見使・佐々又兵衛一行に関係ある図かもしれない。なお、この図は鳥羽城主・稲垣摂津守旧蔵といわれるが、確証はない。

002 蝦夷全図　　79cm × 56cm

形態・員数：写、折図、1枚

所蔵機関：市立函館図書館 H-0068　　　　　　　　　　整理番号：I-036

解説：前図と同じ図形をもつが、残念なことにカラト島（カラフト島）が欠けている。本図もまた前図と同様の記載によって寛文8年当時の図を写したものとおもわれる。なお、この図は東京大学総合図書館所蔵の「南葵文庫」の蔵書印をもつ図の模写である。

003 蝦夷絵図　　82cm × 61cm

形態・員数：写、折図、1枚

所蔵機関：市立函館図書館 H-0085　　　　　　　　　　整理番号：I-049

解説：蝦夷地の地形が「鎌」のような形をしているところから古くから鎌形図といわれてきたものである。この系統図も何種類かあるが、いずれも寛文9年に起きた「シャクシャインの蜂起」に関する図であることは疑いない。図の中に記載される地名や記載文は全て同蜂起に関わるものである。初期を代表する蝦夷図の一種である。

004 ヱゾノ図　　41cm × 42cm

形態・員数：写、折図、1枚

所蔵機関：市立函館図書館 H-0205　　　　　　　　　　整理番号：I-075

解説：蝦夷地の地形が「鎌」のような形をしているところから古くから鎌形図といわれてきたものである。この系統図も何種類かあるが、いずれも寛文9年に起きた「シャクシャインの蜂起」に関する図であることは疑いない。図の中に記載される地名や記載文は全て同蜂起に関わるものである。初期を代表する蝦夷図の一種である。

005 蝦夷図　　　50cm × 71cm

形態・員数：写、折図　1枚

所蔵機関：市立函館図書館 H-0069　　　　　　　　　　整理番号：I-037

解説：正徳3年に刊行された『和漢三才図会』（寺島良安著）の巻64「地理部」に「蝦夷之図」と題する木版の蝦夷図が掲載されている。この図は、蝦夷図としては最初の印刷図であり、やはり初期蝦夷図を代表する図である。蝦夷地は南北に細長い地形をもち、現在の知床半島は「志利恵止古島」と称して「島」になっている。カラフト島は「加良不止島」と記載して、大陸のような図形となっている。本図は、この「蝦夷之図」を基に手書きされた。

006 東西蝦夷全図　　　60cm × 118cm

形態・員数：写、折図、1枚

所蔵機関：市立函館図書館 H-0185　　　　　　　　　　整理番号 I-068

解説：作成年代は不明であるが1760年代であろうか。初期蝦夷図に多く見られる細長図の一種であり、蝦夷地の内陸に9つの大きな湖をもつ特異な図である。少しずつ蝦夷地の地形がそれらしくなりつつある図で、北部に「チカカラフト・トウナンカラフト・タライカ」という島が見えるのは初期蝦夷図にみえる特徴で、その他に「ヲロツフ・セムシリ」という架空の島もある。

007 東山道陸奥松前千嶌及方州掌覧之図　　　97cm × 110cm

形態・員数：写、折図、1枚

所蔵機関：市立函館図書館 H-0184　　　　　　　　　　整理番号：I-067

解説：徐々に蝦夷地の地形が分かってくる時期の図である。蝦夷地は、岬や半島がそれらしくなり、カラフト島も離島として細長く描かれ、また、千島列島も島形がはっきりしてくる。しかし、架空の島が依然として見える。図中に長文が記載され、それによると、この図は寛政元年前後に作成されたようである。また、蝦夷地の周囲は五百有余里と記されていて、その他、蝦夷地の産物や方言も記載され情報も豊富になりつつある。

008 蝦夷千島樺太全図　　130cm × 110cm

形態・員数：写、折図、1枚

所蔵機関：市立函館図書館 H-0100　　　　　　　　　　整理番号：I-064

解説：前図と同じ図形をもつ図である。長文がなくなり、産物のみが記載されている。「ツフカタ・サハタイシ」という島は、同系の他図によると「サハリン」を指すようである。

009 蝦夷及奥蝦夷古図　　121cm × 83cm

形態・員数：写、折図、1枚

所蔵機関：市立函館図書館 H-0074　　　　　　　　　　整理番号：I-040

前図と同じ図である。

010 蝦夷地全図　　　　108cm × 121cm

形態・員数：写　折図　1枚

所蔵機関：市立函館図書館 H-0091　　　　　　　　　　整理番号：I-055

解説：寛政初年作成と推定され、松前藩士・加藤寿（肩吾ともいう）の署名と蔵書印をもつ「松前地図」と題する蝦夷図である。蝦夷地の図形は東西に扁平であり、カラフト島も離島ながら東西に細長い地形であるなど、正確さに欠ける蝦夷図であるが、当時としては松前藩最新の蝦夷図であったのであろう。広く用いられたらしく、この系統図は今に現存するものが多く、本図もその1枚である。

011 蝦夷図　　　　83cm × 119cm

形態・員数：写、折図、1枚

所蔵機関：市立函館図書館 H-0082　　　　　　　　　　整理番号：I-046

解説：前図に同じ。「弘化2年、渡辺星池蔵」と記されている。

012 蝦夷地接壌図　　　　77cm × 106cm

形態・員数：写、折図、1枚

所蔵機関：市立函館図書館 H-0087　　　　　　　　　　整理番号：I-051

解説：前図に同じ。本図は、水戸市にある彰考館所蔵の模写である。

013 蝦夷古写図　　79cm × 81cm

形態・員数：写、折図、1枚

所蔵機関：市立函館図書館 H-0054　　　　　　　　　　整理番号：I-030

解説：前図に同じ。

014 蝦夷地絵図　　80cm × 75cm

形態・員数：写、折図、1枚

所蔵機関：市立函館図書館 H-0070　　　　　　　　　　整理番号：I-038

解説：この図は前図の系統で、それを縮小し小型にまとめた。カラフト島は南端のみ描写し、千島はクナシリ・エトロフの2島のみを図す。また、この系統図には3個所に地名里程を記すものが多い。本図は嘉永4年、加藤直彦なる者が写した。

015 蝦夷地絵図　　90cm × 74cm

形態・員数：写、折図、1枚

所蔵機関：市立函館図書館 H-0083　　　　　　　　　　整理番号：I-047

解説：前図に同じ。

016 蝦夷地全図　　144cm × 140cm

形態・員数：写、折図、1枚

所蔵機関：市立函館図書館 H-0089　　　　　　　　　　　　　整理番号：I-053

解説：寛政2年に最上徳内が著わした『蝦夷草紙』には、付図5枚を添えたものがあり、それらの付図を1枚にまとめたのが本図である。地理学者であった山田聯（号は愕斎）の署名のある図が現存するので、あるいは山田がこの系統図の作成者かとも思われるが、確証はない。図中には経緯度線が引かれ、『蝦夷草紙』や新井白石著『蝦夷志』の記事をもとにした解説文が数多く記されている。

017 蝦夷地方地図　　　90cm × 105cm

形態・員数：写、折図、1枚

所蔵機関：金沢市立玉川図書館 K-0006　　　　　　　　　　　整理番号：I-021

解説：加賀藩士・河野通義（1792 〜 1851）は、天文・測量術を学び砲術家としても知られている。その河野文庫に所蔵される図である。図形は、享和2年に近藤重蔵が作成した「蝦夷地図」の系統図である。蝦夷地の地形が極めて整っているのが特徴であるが、長い間の転写で、原図から大きく変形している。一般にこの系統図には里程表がつくが、本図にはそれがない。

018 蝦夷島里程図　　　106cm × 114cm

形態・員数：写、折図、1枚

所蔵機関：市立函館図書館 H-0094　　　　　　　　　　　　　整理番号：I-058

解説：この図も近藤重蔵図に基づいて作成された図で、前図と同様の図である。下部に16の地名と里程を記している。本図は、水戸市にある彰考館所蔵の模写図である。

019 蝦夷図模本（平山省斎旧蔵）　　93cm × 86cm

形態・員数：写、折図、1枚

所蔵機関：市立函館図書館 H-0067　　　　　　　　　　　　　整理番号：I-035

解説：文化年間の作成と推定される蝦夷図である。松前から宗谷までの西蝦夷地沿岸は、近藤重蔵図と同じ地形を用いて正確であるが、オホーツク沿岸は不正確である。さらに、東南部の太平洋沿岸が直線的であるため、蝦夷地全体の地形が特異なものとなっている。なおこの図には、松前付近から知床半島まで東蝦夷地と西蝦夷地の境を示す境界線が引かれているのも特徴の一つである。東北諸藩に命じた蝦夷地警備のことを記す付箋を添付する図が多く、本図にもそれがみられる。

020 蝦夷地図　　　124cm × 83cm

形態・員数：写、折図、1枚

所蔵機関：市立函館図書館 H-0086　　　　　　　　　　　　整理番号：I-050

解説：幕府は、天保6年12月、国絵図の改訂に着手し、同9年12月その事業は終了した。この天保度の国絵図作成は縮尺6寸1里に統一し、各藩から提出された修正図を基に幕府勘定方が雇絵師に描かせて、全83舗が完成したものである。松前藩提出の図によって完成した原本「松前嶋図」は縦6.7m、横5.0mという見事な大図ではあるが、なぜか蝦夷地の地形は当時の最新のものとはいいがたい。本図はその地形からみて国絵図「松前嶋図」と同じであるが、図の大きさも色彩も原本とは比較にならない。

021 蝦夷図　　　105cm × 80cm

形態・員数：写、折図、1枚

所蔵機関：市立函館図書館 H-0084　　　　　　　　　　　　整理番号：I-048

解説：この図は文化年間の作成と思われるが、カラフト島はまだ半島となっている。蝦夷地の地形も扁平で、他にみられない図である。地名の他に書き入れが多く興味深い。例をあげると、松前には「城下家数千五百軒余、東ノ方共三千軒余相続也」と記す。また、産物としてクシラ・長サメ・ワシノ羽・アサラシ・ラッコ皮・カツノコなどをあげている。

022 蝦夷図　　　98cm × 80cm

形態・員数：写、折図、1枚

所蔵機関：金沢市立玉川図書館 K-0008　　　　　　　　　　整理番号：I-023

解説：文化年間以降になると、蝦夷地図の種類も多くなり、幕府の調査によるもの、松前藩作成のもの、東北を中心に各藩の調査によるものなどの他に、民間でも作られるようになる。本図はその民間で作られた蝦夷図のひとつであろう。各地への航路も記入され、里程表も載せている。

023 蝦夷諸島接壌全図

形態・員数：解説：原、折図、3枚

所蔵機関：市立函館図書館 H-0078　　　　　　　　　　　　整理番号：I-043

解説：伊勢国白子で染形紙販売を業とする傍ら、本居大平について国学・和歌を学んだ沖正蔵の安政3年作成になる自筆図である。正蔵は安海とも称し、海防にも関心をもっていた。この蝦夷図の地形は当時多くみられたものを使用していて、蝦夷地・千島列島・カラフト島の3枚組とし、詳細で美しい図である。なお同じ3枚組の自筆図が北海道大学附属図書館北方資料室にも所蔵される。内訳は、1：蝦夷諸島接壌全図―本蝦夷（146cm × 125cm）2：蝦夷諸島接壌全図―樺太及満洲一部（115cm × 90cm）3：蝦夷諸島接壌全図―千島諸島（190cm × 56cm）

024 蝦夷満州魯西亜接境図　　67cm × 40cm

形態・員数：写、折図、1枚

所蔵機関：市立函館図書館 H-0096　　　　　　　　　　　　整理番号：I-060

解説：蝦夷図には珍しく経緯度線を入れた図である。蝦夷地を中心にして、その周辺のオホーツク沿岸までを描出している。カラフト島は陸続きの半島として描かれ、「北蝦夷地・満州迄舟行三十日ト云」と記されている。また別に、「サカリイン」島もあって、「阿党吉山一名魚皮嶋」と記載される。すでに、間宮林蔵によってカラフト島は離島であることが判明していたにもかかわらず、民間にはこのような図も流布していたのである。

025 蝦夷地方図　　127cm × 65cm

形態・員数：写、折図、1枚

所蔵機関：金沢市立玉川図書館 K-0005　　　　　　　　　　整理番号：I-020

解説：文化年間以降に作成された代表的な蝦夷図である。蝦夷地を中心に千島列島・カラフト島、そして黒龍江付近からオホーツク沿岸にいたる広範囲を1枚に描写している。さらに各地への航路線を入れ、図の周囲には蝦夷地の主な地名と里程を記入するなど、情報量の多い航海図風の蝦夷図といえよう。カラフト島が正確な地形をもつ離島となっており、文化5、6年にわたる間宮林蔵のカラフト島・黒龍江探検の情報が取り入れられていることは確かである。本図には、文政2年・弘化4年の年記が記され、同系統図の中でも最も古い写図の1枚として貴重である。

026 蝦夷島地図（附　村々場所々々里程）　　125cm × 63cm

形態・員数：写、折図、1枚

所蔵機関：市立函館図書館 H-0093　　　　　　　　　　　　整理番号：I-057

解説：前図に同じ。

027 蝦夷地之図及北蝦夷千島之図　　134cm × 78cm

形態・員数：写、折図、2枚

所蔵機関：市立函館図書館 H-0206　　　　　　　　　　　　整理番号：I-076

解説：2枚からなり、1枚目の「蝦夷地之図」は前図と同様の図である。2枚目の「北蝦夷千島之図」は、嘉永6年に刊行された「満州魯西亜疆界図」の模写図である。

028 蝦夷詳細図（里程表付）　　129cm × 54cm

形態・員数：写、折図、1枚

所蔵機関：市立函館図書館 H-0081　　　　　　　　　　　　整理番号：I-045

解説：前図に同じ。

029 蝦夷路程全図　　124cm × 90cm

形態・員数：解説：写　折図　1枚

所蔵機関：市立函館図書館 H-0099　　　　　　　　　　　整理番号：I-063

解説：前図に同じ。

030 蝦夷一覧図　131cm × 71cm

形態・員数：写、折図、1枚

所蔵機関：市立函館図書館 H-0077　　　　　　　　　　　整理番号：I-042

解説：前図に同じ。

031 蝦夷樺太絵図　　137cm × 76cm

形態・員数：写、折図、1枚

所蔵機関：市立函館図書館 H-0076　　　　　　　　　　　整理番号：I-041

解説：前図に同じ。ただし蝦夷地の地形は修正され、従来の地形より格段に正確さを増している。裏表紙に「嶺田伝兵衛」と記す。

032 蝦夷輿地図　107cm × 75cm

形態・員数：解説：写　折図　1枚

所蔵機関：市立函館図書館 H-0097　　　　　　　　　　　整理番号：I-061

解説：前図に同じ。ただし周囲の地名・里程はない。

033 蝦夷絵図　122cm × 66cm

形態・員数：写、折図、1枚

所蔵機関：市立函館図書館 H-0063　　　　　　　　　　　整理番号：I-032

解説：前図に同じ。ただし周囲の地名・里程はない。「安政二乙卯孟春　弗曇海了写之」と記す。

034 蝦夷小図　39cm × 52cm

形態・員数：写、折図、1枚

所蔵機関：市立函館図書館 H-0065　　　　　　　　　　　整理番号：I-034

解説：陸地を黄色で塗りつぶした文字通りの小図で、蝦夷地はやや扁平な地形である。千島はクナシリ・エトロフの2島を描写し、色丹島・歯舞諸島も載る。カラフト島は「加臘弗土」と記し、大陸のように描写している。勤番持としてエトモ・シヤマニ・クスリ・アツケシ・石カリ・ソウヤ・カラフト・クナシリ・エトロフの9個所に印がついている。

035 蝦夷諸嶋之図

形態・員数：写、1冊

所蔵機関：市立函館図書館 H-0079　　　　　　　　　整理番号：I-044

解説：「蝦夷諸嶋之図」と内題された冊子で、漢文の序文に「文政元年戊寅秋月・友部好正識」
と記している。中には、蝦夷地全図と題して、蝦夷地からオホーツク沿岸にいたる図を
載せ、以下、松前箱館地図・本蝦夷地図・唐太島之図・久奈志利島図・恵土呂府島図の
6図を収める。いずれも幕末の略図である。

036 蝦夷地嶋々其外図絵　　　69cm × 43cm

形態・員数：写、折図、1枚

所蔵機関：市立函館図書館 H-0090　　　　　　　　　整理番号：I-054

解説：幕末に作られた小図の1枚で、蝦夷地の地形はやや正確である。千島列島の地名は
ほぼ載っているが、蝦夷地の地名は少ない。

037 蝦夷及カラフト地方図　　　135cm × 93cm

形態・員数：写、折図、1枚

所蔵機関：市立函館図書館 H-0053　　　　　　　　　整理番号：I-029

解説：文化年間に刊行された「文化改正拾遺日本北地全図」を模写した図である。離島であっ
たカラフト島を大陸続きの半島に変えているのが不思議である。緯度線を引いているの
も刊行図に基づくものである。近年の模写図である。

038 蝦夷小図　　　38cm × 40cm

形態・員数：写、折図、1枚

所蔵機関：市立函館図書館 H-0064　　　　　　　　　整理番号：I-033

解説：蝦夷地の地形は、北部がやや細長くのびているが、全体として現在の地形に近い図で
ある。カラフト島は南端のみ、千島はクナシリ・エトロフの2島のみ描写する。地名
は少なく蝦夷地にはわずか19より記入されていない。図中に「奈佐瀬」の朱印が押さ
れている。

039 南部藩蝦夷地経営図

形態・員数：写、折図、23

所蔵機関：市立函館図書館 H-0049　　　　　　　　　整理番号：I-090

解説：南部藩が幕府から蝦夷地警備を命じられたのは安政2年3月であった。箱館表の警
備を中心として、恵山岬から東蝦夷地の幌別までの海岸一帯である。5月から7月にか
けて同藩表目付・上山半右衛門と勘定奉行・新渡戸十次郎の一行が持ち場を検分したが、
本図はこの時の検分に基づいて作成されたものである。23枚の内訳は次の通りである。

01 箱館山掛図

02 箱館表之図

03 箱館澗内亀田ヨリ七重浜迄之図

04 箱館澗内三ツ森ヨリ戸切津川迄之図

05 箱館澗内三ツ谷ヨリ矢不来迄之図

06 箱館澗内茂部地ヨリ当別迄之図

07 箱館表水元御陣屋縮図

08 箱館御陣屋御引請地所絵図

09 箱館表縮図

10 東蝦夷地山セ泊ヨリテケマ迄之図（1）

11 東蝦夷地ヌマシリヨリ野田追崎迄之図（2）

12 東蝦夷地野田追ヨリニクルウトル迄之図（3）

13 東蝦夷地シツカリヨリヲサルヘツエントモ崎迄之図（4）

14 東蝦夷地サルヘツヨリフシコヘツ迄之図（5）

15 東蝦夷地エトモ字ホロヘケレウタ陣屋建家之図

16 東蝦夷地砂原陣屋建家之図

17 東蝦夷地ヲシヤマンベ陣屋建家之図

18 東蝦夷地ホロヘケレウタ御陣屋見立場所図

19 東蝦夷地エトモ御番所之図

20 東蝦夷地エトモ御台場御番所之図

21 蝦夷地附御留守居所之図

22 箱館表幷東蝦夷地縮図

23 勤番所土居図

040 東西蝦夷地公私分境色分絵図　　56cm × 80cm

形態・員数：写、折図、1枚

所蔵機関：市立函館図書館 H-0187　　　　　　　　　　　　整理番号：I-070

解説：安政6年の東北6藩による蝦夷地警備を説明した図である。蝦夷地を各藩ごとに色
　　　分けし、付箋21枚を添付して説明している。同じ図が会津若松市立会津図書館にも所
　　　蔵される。この図のように、蝦夷地やカラフト島・クナシリ島・エトロフ島の警備の様
　　　子を示した蝦夷図は多数作られている。

041 松前東西蝦夷地並唐太離島縮図　38cm × 54cm

形態・員数：写、折図、1枚

所蔵機関：市立函館図書館 H-0138　　　　　　　　　　　　整理番号：I-066

解説：前図に同じく安政6年11月現在の、各藩による警備状況を図したものである。文久
　　　元年の写しで、カラフト島は依然として半島のままである。

042 安政六年奥羽六藩蝦夷地分轄色分図　　39cm × 28cm

形態・員数：写、折図、1枚

所蔵機関：市立函館図書館 H-0058　　　　　　　　　　　　整理番号：I-031

解説：前図に同じく、安政6年11月現在の各藩による警備状況を図したものである。文久
　　　元年の写しで、カラフト島は依然として半島のままである。

043 文化五年蝦夷唐太聞取図　39cm × 107cm

形態・員数：写、折図、1枚

所蔵機関：市立函館図書館 H-0197　　　　　　　　　　　　整理番号：I-017

解説：この図の地形は、天明6年刊行の林子平「蝦夷国全図」を基にして描写されたもの
　　　と思われる。粗略図で、文化5年、会津藩のカラフト島警備の際に使用されたとの説
　　　明が書かれている。近年の模写図である。

044 東西蝦夷地行程略記　　42cm × 81cm

形態・員数：写、折図、1枚

所蔵機関：市立函館図書館 H-0186　　　　　　　　　　　　整理番号：I-069

解説：図面いっぱいに、松前福山を中心に、主な地名を順次、楕円状に並べ、その間に里
　　　程を記入したもの。蝦夷地の地名・里程一覧表である。記された地名の総数は149で、
　　　東蝦夷地から西蝦夷地へ出るルートも3通りある。さらにこの図には、各地に在勤す
　　　る幕吏の役職と人名を140名載せているのが興味をひく。これらの人名によって本図
　　　は安政年間のものであることがわかる。

045 東西蝦夷地行程略図　　28cm × 41cm

形態・員数：写、折図、1枚

所蔵機関：市立函館図書館 H-0188　　　　　　　　　　　　整理番号：I-071

解説：この図は、松前から東海岸はウルップ島まで12個所、西海岸はソウヤまで14個所
　　　の地名を載せ、各地の間の距離と、松前からの距離の両方が、一目で分かるように工夫
　　　された表である。作成は安政年間と思われる。

046 蝦夷国全図　53cm × 96cm

形態・員数：解説：木、折図、1枚

所蔵機関：国立公文書館　C-0191　　　　　　　　　　　　整理番号：I-027

解説：天明6年、林子平は江戸・須原屋市兵衛から『三国通覧図説』1冊・付図5枚を刊行した。
　　　蝦夷地に関する最初の地誌の出版であった。その付図5枚の1枚が「蝦夷国全図」である。
　　　地形はまだ整っておらず、初期蝦夷図に多くみられるように、蝦夷地は南北に細長く、
　　　千島列島も国絵図系蝦夷図にみられるように、小島が散らばったような表現である。カ
　　　ラフト島は大陸の一部のように描写され、別に「サカリイン」島も載せている。地名も重

複や誤記がみられる。しかし、この図こそ最初の単独刊行蝦夷図として記念すべきものである。後年この『三国通覧図説』は付図と共に、幕府の忌諱にふれ、絶版を命じられた。

047 蝦夷国全図

形態・員数：写、折図、1枚

所蔵機関：国立公文書館　C-0175　　　　　　　　　　　　　整理番号：I-024

解説：『三国通覧図説』および付図は、識者の注目するところとなり大いに世に広まった。それは絶版後も続き、写本・写図として転写され流布したことは、今に現存するものが多いことからも分かる。本図はそのような1枚である。

048 蝦夷国全図　　53cm × 90cm

形態・員数：写、折図、1枚

所蔵機関：金沢市立玉川図書館 K-0004　　　　　　　　　　整理番号：I-019

解説：前図に同じ。

049 蝦夷地図　　55cm × 98cm

形態・員数：写、折図、1枚

所蔵機関：国立公文書館　C-0190　　　　　　　　　　　　　整理番号：I-026

解説：前図に同じ。ただし、原本の忠実な写図でなく、やや内容を変えているところがある。

050 東韃沿海図　　71cm × 49cm

形態・員数：解説：木、折図、1枚

所蔵機関：市立函館図書館 H-0203　　　　　　　　　　　　整理番号：I-074

解説：嘉永7年、「原田巽識」と記す刊行蝦夷図である。長山貫の漢文の識語がある。幕末の刊行でありながら、蝦夷地の地形は古い年代のものを使用し、カラフト島はいまだに半島である。さらにサカリイン島まで載せる。しかし、千島列島からオホーツク沿岸にかけての地形は正しく描かれている。原田巽については知られていない。嘉永6年以降、蝦夷図の刊行が急に盛んになるのは、ペリーの来航によって箱館が開港され、蝦夷地が一躍脚光を浴びるようになり、蝦夷地に関する出版の需要が多くなったためである。

051 改正蝦夷全図　　58cm × 46cm

形態・員数：解説：木、折図、1枚

所蔵機関：市立函館図書館 H-0112　　　　　　　　　　　　整理番号：I-065

解説：嘉永7年、加賀藩士・豊島毅（号・洞斎）の著した刊行蝦夷図。仙台藩士・玉虫左太夫の漢文の識語が記載されている。版元名の有る図と無い図の2種がある。図形はとりたてて特徴はないが、上部に「蝦夷方言」と題してアイヌ語を載せること、携帯用に小型に作られていることが特色であろうか。経緯度線も付されている。版元は山城屋佐兵衛・播磨屋勝五郎である。

052 蝦夷地全図　75cm × 111cm

形態・員数：解説：木、折図、1枚

所蔵機関：市立函館図書館 H-0088　　　　　　　　　　整理番号：I-052

解説：嘉永7年、幕吏・喜多野省吾の著作になる刊行蝦夷図である。カラフト島は半分より描写されていないが、地形は当時刊行の蝦夷図にかわるところがない。喜多野省吾は下級役人として蝦夷地の各地で勤務した経験をもっている。版元は求古堂である。

053 蝦夷略図道程記　　35cm × 49cm

形態・員数：解説：木、折図、1枚

所蔵機関：市立函館図書館 H-0098　　　　　　　　　　整理番号：I-062

解説：嘉永7年、前記の「蝦夷地全図：喜多野省吾著」と同じ版元・求古堂から出版された図である。したがって、前図の縮小版と考えられるが、蝦夷地の地形は前図より崩れている。図面半分には扇面状に地名・里程を載せている。

054 蝦夷地理之図　　35cm × 48cm

形態・員数：解説：木、折図、1枚

所蔵機関：市立函館図書館 H-0092　　　　　　　　　　整理番号：I-056

解説：嘉永7年、「結城甘泉識」とある刊行蝦夷図で、東都浅草・玉樹軒から刊行。図形は、文化年間に刊行された「文化改正拾遺日本北地全図」という古い図を取り入れたもの。この図の付録として『蝦夷品彙訳言』というアイヌ語などを記した冊子も、同年に刊行されている。また、この「蝦夷地理之図」は版元名を削って「校正大日本輿地全図」という刊行日本図に添付されている。

055 蝦夷海陸路程全図　63cm × 87cm

形態・員数：解説：木、折図、1枚

所蔵機関：金沢市立玉川図書館 K-0007　　　　　　　　整理番号：I-022

解説：安政2年、仙台藩士・小野寺謙（号・鳳谷）が刊行した蝦夷図。小野寺は藩校養賢堂の教授を勤め、海防学に精通した人物である。嘉永7年、箱館に渡り沿岸を視察した。『松前蝦夷道中細見記』や『北遊日箋』などの著書がある。図は嘉永7年に松浦武四郎が作成した「三航蝦夷全図」の図形をそのまま取り入れたもので、カラフト島を巨大な島として描き、蝦夷地は扁平な地形となっている。

056 蝦夷之地略図　初編　　36cm × 51cm

形態・員数：解説：木、折図、1枚

所蔵機関：市立函館図書館 H-0095　　　　　　　　　　整理番号：I-059

解説：この図は、13図からなるアイヌ風俗図の中央に描かれた蝦夷図で、その袋の記載によると安政3年の刊行らしい。本稿054番の「蝦夷地理之図」や『蝦夷品彙訳言』と

の関連から、同じ版元から刊行されたものと推定される。

057 蝦夷闔境山川地理取調大概図　　38cm × 52cm

形態・員数：解説：木、折図、1枚

所蔵機関：国立公文書館　C-0081　　　　　　　　　　　整理番号：I-025

解説：弘化2年から安政5年まで、6回にわたって、蝦夷地・カラフト島・クナシリ島・エトロフ島までを探検調査した松浦武四郎の刊行した蝦夷図の1枚である。この図はその前に刊行した「東西蝦夷山川地理取調図」28枚組のダイジェスト版として安政7年に刊行された。小型ながら、当時としては最新の蝦夷図であった。なお、この図は明治2年に若干の改訂を加えて再版されている。

058 樺太島図　　102cm × 28cm

形態・員数：写、折図、1枚

所蔵機関：市立函館図書館 H-0113　　　　　　　　　　整理番号：I-011

解説：カラフト島の調査探検は、松前藩によって古くから行われてきたようであるが、詳細不明のものが多い。調査の様子が明らかになるのは、天明5年に始まった幕命による調査からであろう。本図は享和元年5月、幕吏・中村小市郎・高橋次太夫がそれぞれ東はナイブツまで、西はショウヤ崎までを実地調査して作成したもので、製図にあたってはカラフト島が離島か半島か結論をだせないまま、両説を取り入れるという、苦心の作図であった。南北に細長く伸びる地形、アニワ湾付近の状況など、当時としては最新のカラフト島図である。今回集録の図は半島図のみで、本来は北部が離島になっている図も添付されている。

059 カラフト島大概地図　　86cm × 34cm

形態・員数：写、折図、1枚

所蔵機関：市立函館図書館 H-0056　　　　　　　　　　整理番号：I-009

解説：カラフト島が離島か半島かの結論は、文化5～6年の松田伝十郎と間宮林蔵の探検をまたねばならなかった。文化5年、両名による調査によって作成されたカラフト島図が、ここにあげる図である。西海岸を北進した松田伝十郎は北部のラッカ岬に達し、対岸を遠望することによって、カラフトが島であることを初めて確認し得た記念すべき地図である。本図と同じものが国立公文書館内閣文庫に所蔵されている。

060 北蝦夷及三探地方図　　82cm × 39cm

形態・員数：写、折図、1枚

所蔵機関：市立函館図書館 H-0198　　　　　　　　　　整理番号：I-072

解説：このカラフト島図も基本的には間宮林蔵の地図を基にしているのであろう。島全体の輪郭がよく似ている。転写を重ねて地形が崩れたのかも知れない。図中に文久2年、箱館において写した旨の記載がある。写した者は津軽藩士・小島左近である。

061 唐太山丹沿海図　　135cm × 55cm

形態・員数：写、折図、1枚

所蔵機関：市立函館図書館 H-0171　　　　　　　　　　　　　**整理番号**：I-015

解説：この図は、カラフト島の西海岸線と対岸の黒龍江沿岸を描写したもので、間宮海峡図
　　ともいうべきものである。これと同じ図が北海道大学附属図書館北方資料室にも所蔵さ
　　れていて、安政6年、倉内忠右衛門の「北蝦夷地図」の草稿図の写しであることが判
　　明する。

062 韃靼海岸詳図　　115cm × 54cm

形態・員数：写、折図、1枚

所蔵機関：市立函館図書館 H-0202　　　　　　　　　　　　　**整理番号**：I-018

解説：安政6年、カラフト島の奥地を見分した、トンナイ詰足軽・倉内忠右衛門が作成し
　　た図である。図中に「ヨコタム家二軒有、此所ヱ倉内氏棒柱ヲ立テ、年号相印、種色々
　　植立帰ル」と書かれている。同じ図は北海道大学附属図書館北方資料室と小樽市立博物
　　館に所蔵される。この図も文久3年、箱館にて津軽藩士・小島左近が写したものである。

063 北蝦夷東岸図及山丹沿岸図　　116cm × 82cm

形態・員数：写、折図、1枚

所蔵機関：市立函館図書館 H-0199　　　　　　　　　　　　　**整理番号**：I-073

解説：前図と同じ図である。

064 唐太及東韃地方図　　81cm × 54cm

形態・員数：写、折図、1枚

所蔵機関：市立函館図書館 H-0170　　　　　　　　　　　　　**整理番号**：I-014

解説：墨一色で描かれたこのカラフト島図は、その地形から間宮林蔵図と倉内忠右衛門図の
　　両図を参考にして作図したものであろうか。島の輪郭は他図には見られない形をしてい
　　て、対岸の黒龍江付近は極めて詳細である。

65 加蠟夫闍島図　　27cm × 189cm

形態・員数：写、折図、1枚

所蔵機関：市立函館図書館 H-0062　　　　　　　　　　　　　**整理番号**：I-010

解説：嘉永6年頃、松前藩士・早坂文嶺（号・二司馬）が描いたカラフト島図である。ア
　　ニワ湾が大きく広がり、北部が西側に傾くような地形になっている。これと同じ系統図
　　がいくつか残っているので、やはり幕末の安政年間以降に流布したカラフト島図のひと
　　つであろう。早坂文嶺は画家であり、アイヌ風俗画の名手として知られている。

066 唐太東部図　　77cm × 107cm

形態・員数：写、折図、1枚

所蔵機関：市立函館図書館 H-0172　　　　　　　　　　　整理番号：I-016

解説：カラフト島のシラヌシ付近からタライカ付近までを図にしたもの。地図というより絵
　　　画に近いものである。図中に官舎の記号があり、シラヌシ・コンフエ・トマリヲロ・ト
　　　ヲフツなどに見える。また「夷居」の記号をもって、アイヌ居住を示している。

067 樺太島図　　131cm × 36cm

形態・員数：写、折図、1枚

所蔵機関：市立函館図書館 H-0141　　　　　　　　　　　整理番号：I-012

解説：図形から見て幕末の図である。しかし、クシユンコタンに「日本領事館」が、バッコ
　　　トマリには「露官」と記されている。また、宗谷には「宗谷郡役所」の文字もあるので、
　　　明治10年代に作成され使用された図であろうか。地名は詳細に記入されている。

068 樺太島漁場図　　60cm × 31cm

形態・員数：写、折図、1枚

所蔵機関：市立函館図書館 H-0154　　　　　　　　　　　整理番号：I-013

解説：図は南半分のみ描写したもので、「漁場・旧漁場・外国物揚場」の記号が図面に記さ
　　　れているので、漁業関係者間で使用された図であろう。しかし、地名はほとんど記入さ
　　　れていない。明治中期の作成図と思われる。

069 ラソワ夷人より聞取千島図　　24cm × 781cm

形態・員数：写、折本、1帳

所蔵機関：市立函館図書館 H-0057　　　　　　　　　　　整理番号：I-001

解説：図の最後の部分に「文化九未年クナシリ嶋ニおゐて召捕候異国人七人、ラソワ夷人壱
　　　人都合八人、内ラソワ人此絵図相認メ、右本紙より写取候所左之通リ」と記されている
　　　ので、この図の来歴がわかる。すなわち、文化8年、ロシアのゴロヴニンの案内兼通
　　　訳となったラショワ島民・アレクセイが、ゴロヴニンと共に、クナシリ島沖で捕えられ、
　　　松前に拘束された際に、求めに応じて作成した図である。全長7.8mにおよぶ折帳で、
　　　実体験と記憶に基づく描写であろうが、各島々の形状から岬や湾にいたるまで詳細に記
　　　載されている。

070 チプカ諸島図　　28cm × 116cm

形態・員数：写、折図、1枚

所蔵機関：国立公文書館　C-0087　　　　　　　　　　　整理番号：I-008

解説：単独の千島列島図は少なく、その中でも本図は経緯度線を記入した珍しい図である。
　　　「チプカ」または、「チュプカ」とは、千島アイヌ語で「東」のことである。内容はクナ

シリ島の北端からカムチャツカ半島までを図し、別にカムチャツカにあるベトロバスコイ湊の図を描写している。各島々の地形は正確であり、各島には千島アイヌ語による島名の他に、ロシア語による島名もあわせて記す。また、クナシリ・エトロフ島には西洋での島名まで記入している。これらの事実から考えて、この図は幕末にロシアかヨーロッパでの刊行図をもとに作成された図と推定される。

・・・

071 エトロフ島大概地図　　　39cm × 109cm

形態・員数：写、折図、1枚

所蔵機関：国立公文書館　C-0084　　　　　　　　　　　　　　　整理番号：I-006

解説：単独のエトロフ島図で、その地形はきわめて正確で、現代の地形とほとんど変わるところがない。前図の「チプカ諸島図」の中のエトロフ島の地形とも一致する。詳しい凡例と里程があり、その中に「津軽勤番・南部勤番」とあるので、文化年間以降の作成であろうか。また島が「周廻凡二百里有余」とも記している。地名は北海岸線に多く記入され、南側にはわずかしか記載されていない。

・・・

072 東蝦夷地恵登呂府島全図　　27cm × 74cm

形態・員数：写、折図、1枚

所蔵機関：市立函館図書館　H-0181　　　　　　　　　　　　　　整理番号：I-004

解説：図面の中央にエトロフ島を描写し、その周囲には30程の地名・里程を載せ、さらに各地の地形の様子を記載している。その記載例をあげる。「トシモエ～砂浜、西浦ルヘツ越所、見張番所草小屋有」「カエワタラ～大岩山大小三ツ渚ヨリ沖ヘツヽキ出ル」。本図は小図ではあるが、詳細なエトロフ島全図である。

・・・

073 択捉島図　　　27cm × 116cm

形態・員数：写、折図、1枚

所蔵機関：市立函館図書館　H-0148　　　　　　　　　　　　　　整理番号：I-003

解説：「図　紗那郡衙之所蔵也　択捉島図」と記された墨一色による図である。その描写はケバ書きで山地を表現していること、地形が正確であることから、あるいは松浦武四郎図によるものかも知れない。朱線で道路や注釈を記入しているし、各地にラッコ猟場も明示している。明治初年の図であろう。

・・・

074 得撫島図　　　55cm × 79cm

形態・員数：写、折図、1枚

所蔵機関：市立函館図書館　H-0190　　　　　　　　　　　　　　整理番号：I-005

解説：薄紙に描かれたウルップ島図で、経緯度線が引かれ、地名は全て漢字で記入されているので、おそらく近年作成の図と思われる。

075 東游奇勝

形態・員数：解説：原、13冊

所蔵機関：市立函館図書館 H-0072　　　　　　　　　　　整理番号：I-091

解説：寛政11年、幕府は大規模な蝦夷地の調査隊を派遣した。その中で蝦夷地の採薬調査を受け持ったのが幕府奥詰医師・渋江長伯であった。渋江の随行員には絵図を担当した画家・谷元旦がいた。一行は4月から9月にいたる期間に調査を行い、この時の日誌が『東游奇勝』である。13冊から成り、全て渋江の自筆といわれ、他に写本の所在はきかない。日々の克明な記述に合わせて、多くの挿絵が描かれているが、アイヌ風俗・アイヌの器物・海岸風景・鳥獣・草花など、いずれも見事な筆致である。

076 蝦夷日誌（1巻〜11巻）

形態・員数：写、8冊

所蔵機関：市立函館図書館 H-0047　　　　　　　　　　　整理番号：I-088

解説：松浦武四郎は伊勢国出身で、早くから諸国をまわり多くの見聞をひろめ、長崎において北方蝦夷地の急務を知るところとなり、以後、蝦夷地をはじめ、カラフト島・クナシリ島・エトロフ島などを、6度にわたって探検を繰り返し、当時、もっとも北辺の情勢に精通した人物であった。松浦の著作の大部分は、蝦夷地など北方に関するもので、本書は弘化2年に初めて蝦夷地入りした時の記事を主にして、蝦夷地の様子を詳細に記述したものである。挿絵のほとんどは各地を実見しての描写であるだけに、当時を彷彿とさせるものがある。

077 罕有日記（巻1〜巻9）

形態・員数：写、9冊

所蔵機関：市立函館図書館 H-0048　　　　　　　　　　　整理番号：I-089

解説：安政2年2月、幕府は再び蝦夷地のほとんどを松前藩から取り上げ、幕府の直轄地とした。この時、首席老中・阿部伊勢守正弘は、蝦夷地の調査を同列の老中に提唱した。その結果、各老中はそれぞれ藩士等を蝦夷地へ派遣し、視察報告をさせた。老中の一人、長岡藩主・牧野備前守忠雅も、自藩の家臣・森春成らを蝦夷地へ派遣した。安政4年11月、森春成・高井英一によって著されたのが、この『罕有日記』である。全9冊から成り、多くの挿絵が描かれていて、当時の蝦夷地の様子を垣間見ることができる。本書もまた数少ない北方地誌の一つで、他に天理大学図書館の所蔵が知られている。

078 蝦夷島奇観

形態・員数：写、折本、13

所蔵機関：市立函館図書館 H-0038　　　　　　　　　　　整理番号：I-084

解説：著者の秦檍丸（本名・村上島之允）は、伊勢国の神官の家に生まれ、後に見いだされて、幕府の雇い人として活躍した人物である。絵を得意とし、さらに地理学にも精通していた。

蝦夷地では数度にわたって実地調査に加わり、その調査資料を基に、数々の地誌・地図を著している。寛政12年に出来上がった『蝦夷島奇観』は、その著作の中で最も有名なもので、アイヌの風俗や蝦夷地の鳥獣草木などを、見事な絵画で紹介したものである。東京国立博物館に所蔵される自筆本は著名で、本書も極めて優れた写本の一つである。他にも写本として現存するものが多い。

079 蝦夷島奇観

　　形態・員数：写、折本、2帳

　　所蔵機関：市立函館図書館 H-0039　　　　　　　　　　　　　　整理番号：I-085

　　解説：前書と同じ写本である。

080 蝦夷島奇観（附録並増補）

　　ページ：00402 ～ 00404

　　形態・員数：写、折本、1帳

　　所蔵機関：市立函館図書館 H-0040　　　　　　　　　　　　　　整理番号：I-086

　　解説：前書と同じ写本で、同書の一部を写したものである。

081 蝦夷地見取絵図

　　形態・員数：解説：原、巻子本、3

　　所蔵機関：国立公文書館　C-0178　　　　　　　　　　　　　　　整理番号：I-093

　　解説：幕府の命令により、蝦夷地・カラフト島の地理・人物・産物・本草などの調査を実施した、小林豊章の自筆の絵巻物・全3巻である。小林は寛政4年2月、江戸を出発して蝦夷地にわたり、5月にはカラフト島に渡海して調査を開始した。この絵巻は、小林が松前より西蝦夷地沿岸を北上し、宗谷まで踏査した時の図である。当時の西蝦夷地各地の景観が見事に描写されている。ところどころに貼り紙があり、その地の様子を詳しく記載している。

082 唐太島東西浜図（乾・坤）

　　形態・員数：解説：原、折本、2帳

　　所蔵機関：市立函館図書館 H-0175　　　　　　　　　　　　　　整理番号：I-079

　　解説：前図と同じく、小林豊章がカラフト島の調査をした時の沿岸風景を描いた自筆の全2帳である。最初に描かれたカラフト島図によると、東はシラヌシからヤアハンベまで、西はシラヌシからクシュンナイまでを踏査したようである。その絵を見ると、当時のカラフトの様子を彷彿とさせるような見事な描写である。地名は少なく、ところどころに説明が入っていて理解しやすい。2帳ともに、初めの部分に「中川家蔵書印」と読める印が押されている。これは、寛政9年から幕府の勘定奉行や大目付を勤めた中川飛騨守忠英の蔵書印である。

083 東蝦夷地より国後へ陸地道中絵図

形態・員数：写、折本、3帳

所蔵機関：市立函館図書館 H-0176　　　　　　　　　　整理番号：I-092

解説：漢文で書かれた序文によると、この絵図は南部藩士・楢山隆福が作成したものである。すなわち、文化6年10月、楢山はクナシリ島勤番を命じられ、翌7年10月帰藩し、この時の実地検分に基づいて描写したものである。クナシリ会所から始まって松前付近の当別までの56景の会所・勤番所・番屋などを描いたもので、当時の蝦夷地の公的建物の様子が詳細に判明できる絵図である。なお、同じ図は北海道立図書館と岩手県立図書館にも所蔵される。

084 前幕領時代択捉国後其他警備建家図

形態・員数：写、折図、5枚

所蔵機関：市立函館図書館 H-0109　　　　　　　　　　整理番号：I-002

解説：内容は5枚の絵図面から成る。（1）（2）はクナシリ島の警備詰所の平面図、（3）はカラフト・ソウヤ・クナシリ・エトロフの警備詰所の平面図、いずれも部屋毎に間取りの他に、役職名や人員なども記載している。（4）は大きな建物の平面図で、文字の記載がなく、何の建物か不明である。（5）は文化2年7月、エトロフ島警備の南部藩士によって捕えられたラショワ人収容を示す図である。収容の様子は図中の記載文から分かる。その他にシャナ会所の周辺にある公儀御蔵・作業小屋・鍛治小屋・南部勤番所・魚油煎釜・造酒屋などが描かれ、興味深い図である。

085 国後島泊之図　　　　81cm × 83cm

形態・員数：写、折図、1枚

所蔵機関：市立函館図書館 H-0119　　　　　　　　　　整理番号：I-007

解説：文化年間以降、仙台藩と南部藩とで警備をした当時のクナシリ島トマリの様子を描いた図である。御会所のほかに仙台居小屋・南部居小屋・石火矢台・弁天宮などの文字が見える。

086 唐太クシュンコタン之図　56cm × 107cm

形態・員数：写、折図、1枚

所蔵機関：市立函館図書館 H-0169　　　　　　　　　　整理番号：I-077

解説：これは嘉永年間の図であろうか。墨で画面いっぱいに描かれた風景絵図である。図中に遠見番所・操練場・山手番所・大筒三梃・弁天焼跡・水場・山岡殿居跡などの記載がある。

087 蝦夷廻浦図絵

形態・員数：写、巻子本、2

所蔵機関：市立函館図書館 H-0025　　　　　　　　　　整理番号：I-080

解説：安政元年2月、幕府は目付・堀利熙、勘定吟味役・村垣範正に松前蝦夷地出張を命じた。前年、ロシアが、カラフト島クシュンコタンに上陸し、陣営を築いた件、カラフト島における日・ロ両国の境界の件、そして本年4月アメリカ艦隊ペリー一行が箱館に来航することに関わっての視察であった。5月、堀・村垣はそれぞれ西蝦夷地からカラフト島へ渡り、西はライチシカ、東はオハコタンまでを視察、さらに蝦夷地を視察して箱館に帰着した。本絵巻2巻は、この時、随行した一瀬紀一郎が描いた図である。図には一切の文字がなく、どこを描いたものか不詳であったが、現在では、その風景から、場所がほぼ特定されている。一瀬紀一郎は会津藩士で、絵画を得意とした。明治2年、北海道に設置された開拓使の役人となり、雑賀重村と改名している。

088 蝦夷風物之図

形態・員数：写、巻子本、2

所蔵機関：市立函館図書館 H-0026　　　　　　　　　　　　整理番号：I-081

解説：2巻より成る絵巻物で、箱館に始まって東蝦夷地のシャマニ、サルゝ、トカチ、クスリ、アツケシ、ネモロ、シャリに至るまでの間の風物を描いたもの。箱館湾における鯨打込図、イルカの図、アイヌの機織り図、クスリ会所図、アイヌ遊戯の図などの他に、各地の風景が描かれている。年代を示す記載はないが、同じ絵巻が「東蝦夷地絵巻」として国立公文書館にあり、それによると安政5年夏、箱館奉行・村垣淡路守範正一行が東蝦夷地を視察したおりのものであると推定される。

089 渡島州樺太州絵図

形態・員数：写、折本、1帳

所蔵機関：市立函館図書館 H-0042　　　　　　　　　　　　整理番号：I-087

解説：折帳の体裁をとる絵図で、内容は渡島州の亀田郡箱館、福嶋郡吉岡、樺太州の久春古潭、西冨内の計4図である。安政3、4年に幕府の命により蝦夷地を踏査した結果にもとづいて作成された目賀田守蔭の「延叙歴検真図」とよく似ているので、おそらく、目賀田の筆になる明治初年の作図であろう。

090 唐太沿岸山水真景図

形態・員数：写、折本、1帳

所蔵機関：市立函館図書館 H-0174　　　　　　　　　　　　整理番号：I-078

解説：折帳形式の絵図で、序文によると、安政5年、平井勝政なる者がカラフト島警備を命じられて真景を描いたものという。東海岸ヲパコタンより西海岸クシュンコタンまでを描写していて、沿岸には会所・神社・土人家・漁家・通行家・御役宅・陣屋・台場などが見える。

091 蝦夷図譜

形態・員数：写、折本、1帳

年代：1850年代

所蔵機関：市立函館図書館 002901-00225-6001　　　　　　　　整理番号：I-083

解説：蝦夷図譜幕末の安政年間に作られた折帳と思われ、箱館・石狩・宗谷・白主・久春古
　　　丹などの風景画、ゑぞのはじめの図・乙名へ酒をつかわす図・犬に舟を引かせる図など
　　　のアイヌ風俗画、トド・エトピリカ・しまねずみなどの鳥獣画と種々の絵画を集めたも
　　　のである。

092 北地落穂図集

形態・員数：写、折本、1帳

年代：1850年代

所蔵機関：市立函館図書館　002901-0513-5001　　　　　　　　整理番号：I-082

解説：これも折帳形式の1冊で、(1) 蝦夷地を中心とする北辺図、(2) 文化改正蝦夷図、(3)
　　　津軽・南部・箱館付近図、(4) 松前図、(5) 箱館図、(6) ネモロ（現在の根室）に出
　　　来たヲロシヤ人の居小屋と船かがり図の6図から成る略画の地図集である。

093 蝦夷各地跋渉絵図

形態・員数：原、折図、10枚

年代：1880年代

所蔵機関：市立函館図書館　002901-0034-5001　　　　　　　　整理番号：I-028

解説：一瀬朝春自筆の測量図など10枚である。一瀬は、旧会津藩士で明治2年、北海道に
　　　設置された開拓使函館支庁に勤務した。任務は測量掛画工で、各地の測量地図作成の他
　　　に、北海道の海産物や漁具を描いた『北海道漁業図譜』、マッチの製造工程を描写した
　　　『函館燧木製造所図譜』が知られている。本稿087番の『蝦夷廻浦図絵』2巻を描いた
　　　一瀬紀一郎は朝春の実弟である。10枚の地図名は次のとおり。

　　　(01) 東蝦夷地ホロイツミ場所絵図面

　　　(02) シツナイ場所絵図

　　　(03) 日高国様似領絵図

　　　(04) 当県支配地沙流郡絵図

　　　(05) 十勝州之内静岡藩支配地四郡地面

　　　(06) 十勝州当縁郡地図

　　　(07) 十勝州十勝郡海岸略図

　　　(08) 十勝国上川郡区画図

　　　(09) 十勝国広尾郡区画図

　　　(10) 偕楽園博物所并試験所河水草原之略図

第II巻　千島・樺太・蝦夷 [2]

001　蝦夷国地図　　　　154cm × 116cm

分類：日本図・地方図（蝦夷）　　　　　　　　　　形態・員数：写、折図、1枚

筆者：森謹斎　　　　　　内題：外国蝦夷州地図　　　年代：1752（宝暦2）年

所蔵機関：国立公文書館　　　　　　　請求番号：177-1-202（第21帙第202舗）

通し番号：02025 ～ 02033

解説：江戸幕府の作成した「正保日本総図」の中の北方図や、松前藩作成の「元禄国絵図」
などを「国絵図系蝦夷図」と称し、本図はその系統図である。森謹斎は名を幸安といい、
宇木堂と号して、元文から宝暦年間にかけて大坂周辺で活躍した人物であることは、自
ら写した地図の記載で判明するが、詳細はわかっていない。その生涯で自ら写した地図
は、国立公文書館などに膨大な枚数が現存し、本図はその中に含まれる1枚である。「宝
暦二年七月、京師書生・森謹斎幸安模図」と記されている。

002　蝦夷図（仮）　　　　151cm × 97cm

分類：日本図・地方図（蝦夷）　　　　　　　　　　形態・員数：写、折図、1枚

所蔵機関：国立国会図書館　　　　　　　　　　請求番号：を二-63（01）

通し番号：02034 ～ 02035

解説：「蝦夷雑図」と題する全15枚の中の1枚で、「国絵図系蝦夷図」である。「海上里数」
として各地への里程を示す以外は、年代や写した者などの記載はない。

003　蝦夷島全図　　　　199cm × 97cm

分類：日本図・地方図（蝦夷）　　　　　　　　　　形態・員数：写、折図、1枚

筆者：小島左近　　　　　　　　　　　　　　　　年代：1863（文久3）年

所蔵機関：市立函館図書館　　　　　　　　　請求番号：002901-0126-6003

通し番号：02036 ～ 02038

解説：蝦夷地全体の地形は国絵図系であるが、半島や岬が極端に大きく描写されている特異
な蝦夷図である。図の中には、各地の様子や産物などについて、多くの記載がある。文
久3年3月に津軽藩士・小島左近（貞邦）が箱館において写した図で、小島は前年の
文久2年に箱館警備を命じられている。

004　奥州松前図　　　　27cm × 42cm

分類：日本図・地方図（蝦夷）　　　　　　　　　　形態・員数：写、折図、1枚

所蔵機関：国立公文書館　　　　　　　　　　　　請求番号：176-282

通し番号：02039

解説：寛文9年より東蝦夷地（太平洋沿岸）で、シャクシャインの蜂起が始まり、その蜂
起に関わる蝦夷図の1枚である。古くから、その形状から「鎌形図」と言われてきた

図で、現在はその系統図も 10 点程確認され、地形も種々で、必ずしも「鎌形」とは限らない。本図は「日本分国絵図」と題する 227 枚の中の 1 枚で、図に記載されている内容は全て同蜂起に関するものである。

005 蝦夷之輿地図　　　77cm × 55cm

分類：日本図・地方図（蝦夷）　　　　　　　　　形態・員数：写、折図、1 枚
筆者：森謹齋　　　　　　内題：外国蝦夷図　　　　年代：1755（宝暦 5）年
所蔵機関：国立公文書館　　　　　　請求番号：177-1-203（第 21 帙第 203 舗）
　　　　　　　　　　　　　　　　　　　　　　　　通し番号：02040

解説：本稿 001 番と同じく「森謹齋図」の 1 枚である。正徳 3 年刊行の寺島良安著『和漢三才図会』巻 64 に掲載の「蝦夷之図」と同じ系統図である。漢文の説明文があり、その最後に「宝暦五年十月・大坂高津・森謹斎幸安模図」と記す。

006 松前蝦夷図　　　138cm × 80cm

分類：日本図・地方図（蝦夷）　　　　　　　　　形態・員数：写、折図、1 枚
所蔵機関：市立函館図書館　　　　　　請求番号：002901-0012-4001
　　　　　　　　　　　　　　　　　　　通し番号：02041 ～ 02042

解説：「初期蝦夷図」を代表する図で、特異な図形の蝦夷図である。極端に南北が長く、東側に大きく襟裳岬が突き出す。図の中央に「蝦夷長サ三百里、横広所二百里」と記す。北東には「クロフ島、女ノ島」、南西には「小人島」という架空の島が見え、これは初期蝦夷図によく見られることである。本図の源流を探ると、松前から内浦湾周辺にかけての図形・地名は、延宝 6 年刊行の『新撰大日本図鑑』と題する日本全図に描かれる蝦夷地の一部によく似ている。

007 北海道地図（仮）　43cm × 31cm

分類：日本図・地方図（蝦夷）　　　　　　　　　形態・員数：写、折図、1 枚
所蔵機関：市立函館図書館　　　　　　請求番号：002901-0007-2001
　　　　　　　　　　　　　　　　　　　通し番号：02043

解説：蝦夷地全体の地形は細長で、石狩川を中心とする低地から大きく 2 島に分割されている。小図であり、作成もさほど古い年代と思われないが、他に例のない珍しい図形の蝦夷図である。

008 松前之図　　　84cm × 80cm

分類：日本図・地方図（蝦夷）　　　　　　　　　形態・員数：写、折図、1 枚
所蔵機関：市立函館図書館　　　　　　請求番号：002901-0636-6003
　　　　　　　　　　　　　　　　　　　通し番号：02044

解説：「初期蝦夷図」に属するものであり、図中に「能代町人越後屋孫右衛門忠進之其写借写」とある。また、上下蝦夷産物として「昆布、織物、真羽」など 36 品をあげている。石

カリに「大川深サ二十尋余、千石積ノ船ハセ上ル」、ハホロに「金アリ、浜金也」などと、蝦夷地の情報を記載すると共に、「女嶋、銀嶋」という架空の島も見える。本図は東京大学総合図書館所蔵の模写図である。

・・・

009　松前蝦夷地図　　　141cm × 93cm

分類：日本図・地方図（蝦夷）　　　　　　　形態・員数：写、折図、1枚

筆者：千田敬節　　　　　　　　　　　　　　年代：1807（文化4）年

所蔵機関：市立函館図書館　　　　　　　　　請求番号：002901-0293-5003

　　　　　　　　　　　　　　　　　　　　　通し番号：02045 ～ 02046

解説：第1巻の007 ～ 009番に寛政初年頃の「東山道陸奥松前千嶌及方州掌覧之図」はじめとする同系統図があり、本図もそれと同じ系統図である。裏表紙に「文化四卯中秋望、千田敬節」とある。

・・・

010　文化改正拾遺日本北地全図　　123cm × 128cm

分類：日本図・地方図（蝦夷）　　　　　　　形態・員数：写、折図、1枚

年代：1800年代

所蔵機関：市立函館図書館　　　　　　　　　請求番号：002901-0591-5001

　　　　　　　　　　　　　　　　　　　　　通し番号：02047 ～ 02048

解説：寛政3年頃、松前藩士加藤肩吾（名は寿、字は君寿。九皐または臼山と号した）は、蝦夷地図を作成した。題して『松前地図』といい、ここでの「松前」とは、蝦夷地全体を指す。この蝦夷地図は、松前藩の公式地図であったらしく、以降、転写を重ね、現存するものが多い。その系統図を基にして、文化年間になって発行されたのが本図である。題簽中に「文績堂」と記載されているのが、版元と推定される。当時としては大型の木版図で、彩色も美しく、経度・緯度線が記入されているのも、新鮮である。本稿015番、016番、065番は、同系統図である。

・・・

011 蝦夷図　　　60cm × 79cm

分類：日本図・地方図（蝦夷）　　　　　　　形態・員数：写、折図、1枚

所蔵機関：国立国会図書館　　　　　　　　　請求番号：120-154

　　　　　　　　　　　　　　　　　　　　　通し番号：02049

解説：老中田沼意次によって天明5年から開始された蝦夷地の調査は、幕府による最初の試みで、翌6年、意次の失脚によって、成果を十分にあげられないうちに中止となった。しかし、これをきっかけとして、以後、幕府による蝦夷地調査は、次々と実施されることになる。本図は、その天明調査隊によって作成されたもので、それまでの蝦夷図を一新する、画期的な成果であった。

012　蝦夷輿地全図　　89cm × 129cm

分類：日本図・地方図（蝦夷）

内題：蝦夷輿地全図

所蔵機関：市立函館図書館

形態・員数：写、折図、1枚

年代：1807（文化4）年

請求番号：002901-0028-7001

通し番号：02050 〜 02051

解説：本図も同じ天明調査による蝦夷図で、この系統図の中では従来から最もよく知られている図である。『蝦夷拾遺』本文の一部が掲載されている。文化4年の写図で、全体の地形がやや崩れている。

013　松前蝦夷地之図　　107cm × 80cm

分類：日本図・地方図（蝦夷）

筆者：古川古松軒

所蔵機関：市立函館図書館

形態・員数：原、軸装、1軸

年代：1788（天明8）年

請求番号：別置

通し番号：02052 〜 02053

解説：幕府は江戸時代初期から、将軍交替のたびに、各地へ巡見使を派遣する制度を実施していた。江戸から遠く離れた蝦夷地もその例外ではなく、天明8年、奥羽・蝦夷地の巡見使は御使番・藤沢要人輔長ら3名で、この巡見に随行したのが地理学者・古川古松軒である。蝦夷地での視察は当時、和人地と言われた範囲に留まり、古松軒がこの時の見聞を基に著作したのが有名な『東遊雑記』である。蝦夷図は松前滞留中に、松前藩所有の「国絵図系蝦夷図」を拝借して作成したものであり、図中に蝦夷地に関する地誌や考証がびっしりと記載されている。本図は、古川家から寄贈された自筆図で、写図も各所に所蔵される。

014　蝦夷国輿地全図　　144cm × 171cm

分類：日本図・地方図（蝦夷）

筆者：平群政隆

所蔵機関：市立函館図書館

形態・員数：写、折図、1枚

年代：1808（文化5）年

請求番号：002901-0308-6001

通し番号：02054 〜 02057

解説：近藤重蔵が作成した蝦夷地図を基にして、一部改正したのが本図である。重蔵は4度、蝦夷地図を作成していて、蝦夷地本島の輪郭には、基本的な変化はない。その重蔵の蝦夷地本島、国後島、択捉島の輪郭をそのまま利用しているが、樺太島のみは、なぜか半島状に変更されている。図中に、識語と凡例が記載されていて、それによると、本図は、城南椿井（現在の奈良県生駒郡平群町）の平群政隆なる人物が、文化5年6月に写したものである。

015　蝦夷地方并唐太嶋之図　　75cm × 102cm

分類：日本図・地方図（蝦夷）　　　　　　　　　　形態・員数：写、折図、1枚
年代：1799（寛政11）年
所蔵機関：市立函館図書館　　　　　　　　　　　請求番号：002901-0023-5001
　　　　　　　　　　　　　　　　　　　　　　　通し番号：02058

解説：松前藩士の中で、外国との交渉に最も尽力した人物の一人として、加藤肩吾（寿とも
　　　いう）を挙げることができる。その加藤の署名のある蝦夷図はよく知られていて、その
　　　系統図は多く現存するが、年代を明記する図は極めて少ない。本図はその少ない年記を
　　　記載する1枚で、「寛政己未夏校正焉」とあって、寛政11年の写図であることが判明
　　　する貴重な図である。

016　蝦夷地惣絵図　　　　97cm × 128cm

分類：日本図・地方図（蝦夷）　　　　　　　　　　形態・員数：写、折図、1枚
所蔵機関：国立公文書館　　　　　　　　　　　　請求番号：178-138
　　　　　　　　　　　　　　　　　　　　　　　通し番号：02059 ～ 02060

解説：本図もまた「加藤肩吾図」と同系統図である。

017　奥州松前島絵図　　80cm × 72cm

分類：日本図・地方図（蝦夷）　　　　　　　　　　形態・員数：写、折図、1枚
内題：奥州松前島之絵図　　　　　　　　　　　　年代：1859（安政6）年
所蔵機関：市立函館図書館　　　　　　　　　　　請求番号：002901-0002-3001
　　　　　　　　　　　　　　　　　　　　　　　通し番号：02061

解説：本図は、「加藤肩吾図」を幕末の嘉永年間以降に、カラフト島や千島列島を省略した
　　　り縮小して1枚にまとめて、地名里程表を3箇所に記載した図である。欄外に「安政
　　　六己未年九月」と記す。

018　松前一嶋志　　　　81cm × 75cm

分類：日本図・地方図（蝦夷）　　　　　　　　　　形態・員数：写、折図、1枚
所蔵機関：市立函館図書館　　　　　　　　　　　請求番号：002901-0636-3001
　　　　　　　　　　　　　　　　　　　　　　　通し番号：02062

解説：本図も本稿017番と同様の図である。

019　蝦夷図（上部）　　88cm × 153cm

分類：日本図・地方図（蝦夷）　　　　　　　　　　形態・員数：写、折図、1枚
筆者：近藤重蔵
所蔵機関：国立公文書館　　　　　　　　　　　　請求番号：178-136
　　　　　　　　　　　　　　　　　　　　　　　通し番号：02063 ～ 02066

解説：寛政10年以来、6度にわたってエトロフ島、西蝦夷地沿岸、蝦夷地内陸部などの開発・調査で大きな業績をあげた近藤重蔵が最初に作成した蝦夷地図である。その蝦夷地の輪郭の正確さに驚かされる。特に日本海沿岸線とオホーツク海沿岸線が見事である。但し、エトロフ島は巨大島に描写され、カラフト島は享和元年、幕吏が作成した離島と半島の両説を取り入れた図をそのまま転用している。図の上部には日本周辺図も併載される。下部には漢文の識語があって「享和二年壬戌二月、近藤守重」と記される。本図は元1枚であったが、後に上下2枚に分かれ、現在は別々の機関に所蔵される。

••

020　蝦夷図（下部）　　88cm × 150cm

分類：日本図・地方図（蝦夷）　　　　　　　　　形態・員数：写、折図、1枚

筆者：近藤重蔵

所蔵機関：国立国会図書館　　　　　　　　　　　請求番号：を二-63（03）

通し番号：02067

解説：本稿019番を参照。

••

021　蝦夷地図式　乾（蝦夷図）　　90cm × 75cm

分類：日本図・地方図（蝦夷）　　　　　　　　　形態・員数：写、折図、1枚

筆者：近藤重蔵

所蔵機関：市立函館図書館　　　　　　　　　　　請求番号：0008-19302-3001

通し番号：02068 〜 02069

解説：近藤重蔵は寛政12年に作成した「チュプカ諸島図」（千島列島図）と享和2年に作成した「蝦夷地図」と合わせて『蝦夷地図式』乾坤2枚組とした。「チュプカ」とは「千島の島々」を指す千島アイヌ語である。その「チュプカ諸島図」は、説明文によると、ラショワ島のアイヌ、イチヤンゲムシに、米粒をもって島々の形状を作らせそれを写しとって作成したものという。「蝦夷地図」は本稿019番、020番の小型版で、日本周辺図を除き地名里程表を追加している。本図と同じ2枚組は国文学研究資料館にも所蔵される。

••

022　蝦夷地図式　坤（千島図）　　45cm × 75cm

分類：日本図・地方図（蝦夷）　　　　　　　　　形態・員数：写、折図、1枚

筆者：近藤重蔵

所蔵機関：市立函館図書館　　　　　　　　　　　請求番号：0008-19302-3002

通し番号：02070

解説：本稿021番を参照。

023 蝦夷図（仮） 88cm × 80cm

分類：日本図・地方図（蝦夷）　　　　　　　形態・員数：写、折図、1枚

筆者：近藤重蔵

所蔵機関：国立国会図書館　　　　　　　　　請求番号：を二-63（05）

通し番号：02071

解説：近藤重蔵は文化初年に2枚目の蝦夷地図を作成した。その自筆図は東京の三井文庫
　　　に所蔵され、写図は東京大学史料編纂所の「近藤重蔵遺書」の中にある。図は蝦夷地だ
　　　けを描写したもので、長文の解説が記載される。内陸部には各拠点を結ぶために計画さ
　　　れた幹線道路が縦横に走り、現在の旭川付近には首府が予定されるなど、蝦夷地開拓計
　　　画図ともいうべきものである。重蔵がこの図をいつ作成したかは、文化4年以前であ
　　　ること以外は分からない。本図は「蝦夷雑図」15枚の中の1枚で、解説文や凡例など
　　　を欠く図である。

024 蝦夷地図 116cm × 109cm

分類：日本図・地方図（蝦夷）　　　　　　　形態・員数：写、折図、1枚

筆者：今井寛治郎・関根佐市　　　　　　　　年代：1807（文化4）年

所蔵機関：市立函館図書館　　　　　　　　　請求番号：002901-0060-6001

通し番号：02072 ～ 02073

解説：近藤重蔵は4種の蝦夷地図を作成したが、蝦夷地の輪郭は基本的に変化はない。し
　　　たがって、この輪郭をそのまま転用した蝦夷図が作成され、次々と写されて今日に伝わ
　　　るものが多い。本図はそのような1枚で、袋の裏には「文化4年6月、今井寛治郎・
　　　関根佐市なる者が写し取った」旨の記載がある。

025 東蝦夷実測図 102cm × 108cm

分類：日本図・地方図（蝦夷）　　　　　　　形態・員数：写、折図、1枚

所蔵機関：国立公文書館　　　　　　　　　　請求番号：178-172

通し番号：02074 ～ 02075

解説：本図も「近藤重蔵系統図」で、カラフト島はなく、地名里程表が付く。また、朱筆で
　　　41度から46度までの緯度線を引いているのが、他図にない特徴である。

026 蝦夷地図 101cm × 110cm

分類：日本図・地方図（蝦夷）　　　　　　　形態・員数：写、折図、1枚

所蔵機関：市立函館図書館　　　　　　　　　請求番号：002901-00233-5001

通し番号：02076 ～ 02077

解説：本図も「近藤重蔵系統図」である。カラフト島は先端のみで、千島列島はクナシリ島
　　　だけを描写する。3箇所に地名里程表がある。

027 蝦夷地図（蝦夷図）　　131cm × 190cm

分類：日本図・地方図（蝦夷）　　　　　　　　　形態・員数：写、折図、1枚

筆者：秦檍丸

所蔵機関：市立函館図書館　　　　　　　　　　請求番号：002901-00233-6001

通し番号：02078 〜 02082

解説：秦檍丸（本名は村上島之允）は伊勢に生まれ、地理に詳しく、絵画にも才能を発揮した人物である。寛政から文化年間にかけて蝦夷地調査に携わり、数々の著作を残している。その一つがこの蝦夷図である。1枚は蝦夷地を中心として、カラフト島と千島列島はウルップ島までを図し、もう1枚はウルップ島以北の千島列島を図したものである。国文学研究資料館には文化3年の自筆図が所蔵され、両図共に近藤重蔵図を基にして作成されたと思われる。本図は、その系統図で水戸市にある彰考館所蔵の模写図である。

028　蝦夷地図（千島図）　　79cm × 152cm

分類：日本図・地方図（蝦夷）　　　　　　　　　形態・員数：写、折図、1枚

所蔵機関：市立函館図書館　　　　　　　　　　請求番号：002901-00233-6001

通し番号：02083 〜 02084

解説：本稿027番を参照。

029 蝦夷全図　　103cm × 106cm

分類：日本図・地方図（蝦夷）　　　　　　　　　形態・員数：写、折図、1枚

年代：1810年代

所蔵機関：国立公文書館　　　　　　　　　　　請求番号：178-142

通し番号：02085 〜 02088

解説：寛政から文化年間は北方周辺の調査も頻繁となり、次々と新しい蝦夷図が出現する時期でもあった。本図もその頃の作成になるもので、幕府の命令で、東北諸藩が蝦夷地、クナシリ島、エトロフ島などを警備した際に使用された1枚である。特徴は襟裳岬の突き出しが小さく、太平洋沿岸が一直線のような地形になったことである。また、松前付近から知床半島まで、東西蝦夷地の境を示す境界線が引かれていて、これはこの系統図だけに見られることである。

030　蝦夷地全図　　88cm × 82cm

分類：日本図・地方図（蝦夷）　　　　　　　　　形態・員数：写、折図、1枚

所蔵機関：市立函館図書館　　　　　　　　　　請求番号：002901-0032-6002

通し番号：02089

解説：本稿029番と同じ系統図で、境界線は引かれていない。5箇所に東北諸藩の警備を示す「陣屋」の付箋がある。仙台藩士・一条坦の旧蔵図である。

031 蝦夷図（仮）　　　77cm × 80cm

分類：日本図・地方図（蝦夷）

所蔵機関：国立国会図書館

形態・員数：写、折図、1枚

請求番号：を二-63（07）

通し番号：02090

解説：「蝦夷雑図」15枚の1枚で、本稿029番と同系統図である。

032　蝦夷松前一円之図　　　109cm × 77cm

分類：日本図・地方図（蝦夷）

所蔵機関：市立函館図書館

形態・員数：写、折図、1枚

請求番号：002901-0013-5001

通し番号：02091

解説：文化初年の作成と推測される図で、カラフト島は半島であり、蝦夷地の輪郭は当時、
　　　西蝦夷地と言われた日本海沿岸からオホーツク海沿岸にかけての陸地が狭く描写され、
　　　特異な形となっている。産物や各所の書き入れ文が多く、興味をひく図である。

033　魯西亜里程図　　　79cm × 82cm

分類：日本図・地方図（蝦夷）

内題：魯斉亜国全図

所蔵機関：市立函館図書館

形態・員数：写、折図、1枚

請求番号：002901-9827-5001

通し番号：02092

解説：寛政4年9月、伊勢国白子村出身の漂流民大黒屋光太夫一行は、ロシアの遣日使節ラック
　　　スマンに伴われて根室に入港した。天明2年に漂流してから、実に10年ぶりの帰国
　　　であった。この時、光太夫らがロシアから持参した地図の翻訳図の中の1枚と言わ
　　　れるのがこの系統図で、ロシア本土からカムチヤツカ半島、日本、朝鮮半島、東南アジア
　　　付近までの広範な地域を描写したものである。同系統図は天理大学図書館（松平定信文
　　　書）、横浜市立大学図書館（鮎澤文庫）などにも所蔵される。

034　新訂正魯斉亜国図　　　80cm × 156cm

分類：日本図・地方図（蝦夷）

所蔵機関：国立公文書館

形態・員数：写、折図、1枚

請求番号：186-40

通し番号：02093 ～ 02095

解説：文化元年9月、ロシアの遣日全権使節レザノフが長崎に来航して通商を求めた。幕
　　　府とレザノフとの交渉は難航し、翌文化2年3月、レザノフは得るものがなく帰国の
　　　途についた。この時、レザノフが長崎奉行に贈った『ロシア帝国図』（ロシア刊行の銅
　　　版図3枚組で、横浜市立大学図書館：鮎澤文庫所蔵）があり、その写図は、東北大学
　　　附属図書館や古河歴史博物館（鷹見泉石旧蔵）など、何点か知られている。本図はその
　　　ような写図の1枚で、江戸の司天台暦局の訳図ではないかと言われている。

035 北倭図

分類：日本図・地方図（蝦夷）　　　　　　　　　　形態・員数：写、冊子、1冊
所蔵機関：市立函館図書館　　　　　　　　　　　　請求番号：002901-0519-6001
　　　　　　　　　　　　　　　　　　　　　　　　通し番号：02096 ～ 02099

解説：巻頭に「文化丁卯（4年）夏六月、膽行言」と記し、北方関係地図を載せる冊子である。
　　　その掲載図は全部で 11 図あり、その内の 5 図は最上徳内の図である。編者は山田聯（慥
　　　斎）であろう。同書は北海道大学附属図書館北方資料室、神戸市立博物館にも所蔵される。

036 魯西亜満州山靻唐太之図　　　55cm × 81cm

分類：日本図・地方図（蝦夷）　　　　　　　　　　形態・員数：写、折図、1枚
年代：1820 年代
所蔵機関：市立函館図書館　　　　　　　　　　　　請求番号：002901-0025-7001
　　　　　　　　　　　　　　　　　　　　　　　　通し番号：02100

解説：内題の下に「此図高橋重賢朝臣所蔵、文政年間模写焉、菴原道麿印」と記載する。図
　　　は朝鮮半島から黒龍江沿岸、カムチヤツカ半島一帯を描き、さらにカラフト島、蝦夷地、
　　　日本全島を描写する。また、「魯西亜之地法」と題して、日本とロシアの尺貫法を述べ、
　　　千島列島の 24 の島名をロシア語で記載している。高橋三平重賢は当時の松前奉行であ
　　　り、菴原道麿（菡斎と号す）も、同奉行支配下の役人である。

037 蝦夷北蝦夷満州阿谷部甘査加大図　　183cm × 166cm

分類：日本図・地方図（蝦夷）　　　　　　　　　　形態・員数：写、折図、1枚
所蔵機関：市立函館図書館　　　　　　　　　　　　請求番号：002901-0022-7001
　　　　　　　　　　　　　　　　　　　　　　　　通し番号：02101 ～ 02106

解説：蝦夷地、カラフト島、黒龍江沿岸からオホーツク海沿岸に至りカムチヤツカ半島まで
　　　を描写し、千島列島はなぜか、クナシリ島は一部よりなく、ウルップ島以北には島々は
　　　見えない。全体の地形から考察して、外国製の図を基にして作成されたものであろう。
　　　経緯度線もあり、大図のわりには、地名の記載は少ない。

038 松前夷全図　　131cm × 85cm

分類：日本図・地方図（蝦夷）　　　　　　　　　　形態・員数：写、折図、1枚
所蔵機関：市立函館図書館　　　　　　　　　　　　請求番号：002901-0023-7001
　　　　　　　　　　　　　　　　　　　　　　　　通し番号：02107 ～ 02110

解説：文化 5、6 年にかけて、カラフト島沿岸および対岸の黒龍江下流付近までを探検した
　　　間宮林蔵の実地調査の成果を取り入れた蝦夷図である。描写は蝦夷図を中心にカラフト
　　　島、千島列島、そして黒龍江沿岸からオホーツク海沿岸を経てカムチヤツカ半島にいた
　　　る広範囲なものである。また蝦夷地の各地への航路里程もあり、図の周囲に蝦夷地の地
　　　名、里程を記載するのもこの図の特徴である。作成は文化末年と考えられ、次々と転写

されて流布されたのであろう。今に現存するものが極めて多い。本図は「松前章広旧蔵原図謄写」と記す模写図である。

・・・

039 松前夷全図　　　129cm × 85cm

分類：日本図・地方図（蝦夷）　　　　　　　　　　形態・員数：写、折図、1枚

所蔵機関：市立函館図書館　　　　　　　　　　　　請求番号：0008-1121-7004

　　　　　　　　　　　　　　　　　　　　　　　　通し番号：02111 ～ 02114

解説：本稿 038 番と同系統図で、松前藩家臣、蛎崎家に伝わった文書の中にある図である。蝦夷地の産物に関する記号が多数記載されるのが特徴である。

・・・

040 蝦夷図（仮）　　　127cm × 59cm

分類：日本図・地方図（蝦夷）　　　　　　　　　　形態・員数：写、折図、1枚

所蔵機関：国立国会図書館　　　　　　　　　　　　請求番号：を二-63（09）

　　　　　　　　　　　　　　　　　　　　　　　　通し番号：02115

解説：「蝦夷雑図」15 枚の中の 1 枚であり、本稿 038 番と同系統図である。図に「此絵図御領地之節天文方手附出役間宮林蔵順見有之候而図之」の記載があり、同様の文言は同系統図によく記載されている。

・・・

041 蝦夷図（仮）　　　131cm × 73cm

分類：日本図・地方図（蝦夷）　　　　　　　　　　形態・員数：写、折図、1枚

所蔵機関：国立国会図書館　　　　　　　　　　　　請求番号：を二-63（10）

　　　　　　　　　　　　　　　　　　　　　　　　通し番号：02116

解説：この図も「蝦夷雑図」15 枚組の 1 枚であり、本稿 038 番と同系統図である。

・・・

042 蝦夷地全図　　　129cm × 94cm

分類：日本図・地方図（蝦夷）　　　　　　　　　　形態・員数：写、折図、1枚

所蔵機関：国立公文書館　　　　　　　　　　　　　請求番号：178-139

　　　　　　　　　　　　　　　　　　　　　　　　通し番号：02117 ～ 02120

解説：本稿 038 番と同系統図である。

・・・

043 蝦夷地細見全図　　130cm × 93cm

分類：日本図・地方図（蝦夷）　　　　　　　　　　形態・員数：写、折図、1枚

所蔵機関：市立函館図書館　　　　　　　　　　　　請求番号：002901-0023-4001

　　　　　　　　　　　　　　　　　　　　　　　　通し番号：02121 ～ 02124

解説：本稿 038 番と同系統図である。

044　松前蝦夷地嶋々細見図　120cm × 71cm

分類：日本図・地方図（蝦夷）　　　　　　　　形態・員数：写、折図、1枚

所蔵機関：市立函館図書館　　　　　　　　　　請求番号：002901-0636-6001

通し番号：02125 ～ 02126

解説：本稿 038 番と同系統図である。

045　蝦夷地之図　　　131cm × 90cm

分類：日本図・地方図（蝦夷）　　　　　　　　形態・員数：写、折図、1枚

所蔵機関：市立函館図書館　　　　　　　　　　請求番号：002901-0027-7001

通し番号：02127 ～ 02130

解説：本稿 038 番と同系統図である。

046　松蝦之図　　132cm × 76cm

分類：日本図・地方図（蝦夷）　　　　　　　　形態・員数：写、折図、1枚

筆者：高橋広孝

所蔵機関：市立函館図書館　　　　　　　　　　請求番号：002901-0270-6001

通し番号：02131 ～ 02133

解説：本稿 038 番と同系統図で、「地名箋訳」と題して 8 つのアイヌ語とその和訳が載る。また、「天保十年己亥冬十二月、臣高橋広孝謹写之」と記す。本図は水戸市にある彰考館所蔵図の模写である。

047　蝦夷秘図　　139cm × 80cm

分類：日本図・地方図（蝦夷）　　　　　　　　形態・員数：写、折図、1枚

所蔵機関：市立函館図書館　　　　　　　　　　請求番号：002901-0016-7001

通し番号：02134 ～ 02136

解説：本稿 038 番と同系統図で、周囲の地名、里程が無い図である。他の同系統図にはあまり見られない蝦夷地の産物の記号が多数あり、多くの書き入れ文があるのも、本図の特徴である。また「加治秘蔵門外不出・加治兵書・加治家蔵」の蔵書印があり、幕末期の兵学・漢学者であった加治啓次郎（号は柴山）の旧蔵書であったことがわかる。加治は桑名藩士で松平定信にも仕えたこともある人物である。本稿 087 番を参照。

048　蝦夷国精写図　　108cm × 78cm

分類：日本図・地方図（蝦夷）　　　　　　　　形態・員数：写、折図、1枚

年代：1852（嘉永 5）年

所蔵機関：市立函館図書館　　　　　　　　　　請求番号：002901-0021-8001

通し番号：02137 ～ 02138

解説：本稿 047 番と同系統図で、周囲に地名、里程が無く、嘉永 5 年に写した旨の記載がある。

049　松前嶋々絵図　　　113cm × 80cm

分類：日本図・地方図（蝦夷）　　　　　　　　　　形態・員数：写、折図、1枚

年代：1855（安政2）年

所蔵機関：国立国会図書館　　　　　　　　　　　　請求番号：特1-3257

　　　　　　　　　　　　　　　　　　　　　　　　通し番号：02139

解説：本稿047番と同系統図で、周囲に地名、里程が無く、「于時安政二乙卯六月写之本書
　　　慎山精安松前ヨリ持参」と記す。本図は本草学者・白井光太郎旧蔵図である。

050　蝦夷松前方面図　　108cm × 74cm

分類：日本図・地方図（蝦夷）　　　　　　　　　　形態・員数：写、折図、1枚

所蔵機関：市立函館図書館　　　　　　　　請求番号：002901-0026-4007

　　　　　　　　　　　　　　　　　　　　　　通し番号：02140 〜 02141

解説：本稿047番と同系統図である。

051　蝦夷地図　　　109cm × 80cm

分類：日本図・地方図（蝦夷）　　　　　　　　　　形態・員数：写、折図、1枚

所蔵機関：国立国会図書館　　　　　　　　　　　　請求番号：819-1-238

　　　　　　　　　　　　　　　　　　　　　　通し番号：02142 〜 02143

解説：本稿047番と同系統図で「旧幕府引継書」の中にある図である。

052　千島位置図　　　116cm × 40cm

分類：日本図・地方図（蝦夷）　　　　　　　　　　形態・員数：写、折図、1枚

年代：1851（嘉永4）年

所蔵機関：国立国会図書館　　　　　　　　　　　　　請求番号：819-87

　　　　　　　　　　　　　　　　　　　　　　　　　通し番号：02144

解説：本稿047番と同系統図で、嘉永4年の写図で、やや変形図である。本図も「旧幕府引継書」
　　　の中にある。

053　蝦夷図　　　112cm × 196cm

分類：日本図・地方図（蝦夷）　　　　　　　　　　形態・員数：写、折図、1枚

年代：1820年代

所蔵機関：国立国会図書館　　　　　　　　　　　　　請求番号：別13-65

　　　　　　　　　　　　　　　　　　　　　　通し番号：02145 〜 02152

解説：古くからよく知られている蝦夷図である。図は蝦夷地、クナシリ島、エトロフ島を描
　　　写し、別枠内にエトロフ島北部とウルップ島を描く。蝦夷地をはじめ、各島の輪郭は極
　　　めて正確であり、各所に方位線があることから、明らかに実測に基づく図であることが

分かる。蝦夷地の輪郭で特徴的なのは、オホーツク海沿岸にある「トイマキ」付近が大きな出崎となって、同沿岸が大きく西側に曲がったように見えること、知床半島の西側が実際より幅が広いこと、花咲半島が直線的であることである。地名は詳細に記載され、特に蝦夷地の河川は支流の奥まで記入されている。しかし、抹消したり、朱で訂正や追加している部分もある。作成者については、西蝦夷地を測量した間宮林蔵、または幕府天文方・高橋景保の名が挙げられ、作成は文政年間と言われている。高橋がシーボルトに贈り、後にシーボルト事件によって没収されたと伝えられる図で、「此図を此儘ニ写取遣候義ニ御座候」と記した付箋がある。

054 北海道実測図　132cm × 115cm

分類：日本図・地方図（蝦夷）　　　　　　　　　形態・員数：写、折図、1枚
所蔵機関：国立公文書館　　　　　　　　　　　　　　　　請求番号：178-182
　　　　　　　　　　　　　　　　　　　　　　　　通し番号：02153 ～ 02160

解説：蝦夷地本島とクナシリ島の西側半分を描写する図で、正確な輪郭と、知床半島とクナシリ島北東側が未測のままになっていることから、伊能忠敬・間宮林蔵の実測に基づく蝦夷地図の系統図であることが分かる。河川が詳細に記入され、本稿053番『蝦夷図』に見える記号と同じ記号がいくつか使用されていることからも、幕府天文方が作成に関係する図かも知れない。同系統図は北海道大学附属図書館北方資料室にも所蔵される。

055 蝦夷地絵図

分類：日本図・地方図（蝦夷）　　　　　　　　　形態・員数：写、折図、14枚
筆者：松浦武四郎
所蔵機関：国立国会図書館　　　　　　　　　　　　　　請求番号：w991-84
　　　　　　　　　　　　　　　　　　　　　　　　通し番号：02161 ～ 02192

解説：弘化2年から嘉永2年までの間に、3度にわたって、蝦夷地、カラフト島、クナシリ島、エトロフ島を探検した松浦武四郎は、翌嘉永3年、それまでの実地調査や見聞に、先人の蝦夷地に関する地誌・歴史書をも取り入れて、詳細な紀行文『蝦夷日誌』全35巻を著し、一躍、蝦夷地の地理や実態を詳細に知る第一人者となった。そして、嘉永7年、さらに数多くの内外の文献を研究・参照して仕上げたのが、『三航蝦夷全図』と題する図である。緯度1度をもって1枚とし、それを縦に14枚並べるという従来の地図には見られない形式で、全図は縦3.4m、横2.5mという大図になるのである。しかし、蝦夷地本島は南北に押し潰したような扁平な地形であり、カラフト島も南部はやや正確であるが、北部は想像的な地形となった。作成に関わる詳細な解説が記載される図もある。この図から6年後、『東西蝦夷山川地理取調図』全28枚組という見事な蝦夷図が刊行される。本図と同じ14枚組は東京の静嘉堂文庫（大槻文庫）、神戸大学附属図書館（住田文庫）、東京大学史料編纂所などにも所蔵される。本稿070番を参照。

056　正徳蝦夷図　　　　137cm × 94cm

分類：日本図・地方図（蝦夷）
筆者：松浦武四郎
所蔵機関：市立函館図書館

形態・員数：写、折図、1枚
請求番号：002901-0273-4003
通し番号：02193 ～ 02196

解説：本稿 055 番の図をほぼ 2 分の 1 に縮小して 1 枚としたのが本図である。描写範囲や全体の地形は変わるところはないが、新たに凡例 13 を載せている。「正徳元年夏六月御上書」と記すのが不思議である。

057　蝦夷図（仮）　　　　104cm × 72cm

分類：日本図・地方図（蝦夷）
所蔵機関：国立国会図書館

形態・員数：写、折図、1枚
請求番号：を二-63（08）
通し番号：02197

解説：天明 6 年、仙台藩士・林子平は『三国通覧図説』（本冊 1 冊、付図 5 枚）を刊行したが、6 年後に老中・松平定信によって絶版とされた。しかし、この書物と地図はその後数多くの写本、写図が作られて世に広まったのである。本図はそのように流布した 1 枚であるが、刊行図とは異なり、図形にも変化が見られる。また蝦夷地に関する記事も多数記載され、その文は文化 12 年頃の内容が多い。本図は「蝦夷雑図」15 枚の 1 枚で、同系統図は東京の尊経閣文庫にも所蔵される。

058　蝦夷全図（仮）　　　　129cm × 59cm

分類：日本図・地方図（蝦夷）
所蔵機関：市立函館図書館

形態・員数：写、折図、1枚
請求番号：0008-16819-5062
通し番号：02198 ～ 02199

解説：松前藩士・木村源吉の旧蔵図。彩色のない蝦夷図で、他に例のない珍しい地形をもつ図である。まず、蝦夷地の輪郭は幕末に流行していた蝦夷図であり、カラフト島は間宮林蔵の作成図に似る。そして黒龍江沿岸は安政 6 年の倉内忠右衛門調査図に近い図で、3 種類を組み合わせた「編集蝦夷図」とでもいうべきものである。

059　松前蝦夷全図　　　　80cm × 56cm

分類：日本図・地方図（蝦夷）
筆者：小島左近
所蔵機関：市立函館図書館

形態・員数：写、折図、1枚
年代：1858（安政 5）年
請求番号：002901-0126-6004
通し番号：02200

解説：津軽藩士・小島左近貞邦の写した蝦夷図で、これも他に類のない珍しい蝦夷図である。「安政五午年於野内監舎写之」と記載がある。西蝦夷地沿岸は直線的で、宗谷からオホーツク海沿岸は直角に曲がるような図形である。カラフト島も大陸の一部のような描き方である。

060 松前蝦夷地図　　77cm × 77cm

分類：日本図・地方図（蝦夷）　　　　　　　　形態・員数：写、折図、1枚
筆者：仁科貞賢　　　　　　　　　　　　　　　年代：1839（天保10）年
所蔵機関：市立函館図書館　　　　　　　　　　請求番号：002901-0282-5001
　　　　　　　　　　　　　　　　　　　　　　通し番号：02201

解説：この系統図も何点か知られていて、「干時天保己亥六月写之、仁科貞賢印印」の記載は、
　　　この系統図の成立を推定する上で重要である。蝦夷地本島の図形は崩れており、カラフ
　　　ト島は大陸の一部のように見え、エトロフ島とウルップ島を一つの島に描写しているな
　　　ど稚拙な図で、この系統図が安政2年に木版で刊行された『蝦夷地全図』である。

061 東西蝦夷地図

分類：日本図・地方図（蝦夷）　　　　　　　　形態・員数：写、折図、57枚
年代：1850年代
所蔵機関：国立国会図書館　　　　　　　　　　請求番号：199-232
　　　　　　　　　　　　　　　　　　　　　　通し番号：02202 ～ 02221

解説：目次1枚・地図55枚・付録1枚からなる地図集である。地図の内訳は、五稜郭図1、
　　　宗谷測量図1、函館地蔵町図1、東蝦夷地各場所図8、西蝦夷地各場所図39、カラフ
　　　島各場所図5である。全図に「梨本氏蔵書」の蔵書印があり、宗谷測量図には「梨本
　　　弥五郎」と記し、付録は「梨本氏伝」という梨本家の経歴を記したものである。梨本弥
　　　五郎は箱館奉行支配下の役人で、安政3年、宗谷に在勤している。

062 仙台藩東蝦夷地経営図

分類：日本図・地方図（蝦夷）　　　　　　　　形態・員数：写、折図、11枚
年代：1850年代
所蔵機関：市立函館図書館　　　　　　　　　　請求番号：002901-0293-5001
　　　　　　　　　　　　　　　　　　　　　　通し番号：02222 ～ 02233

解説：安政2年2月、幕府は松前藩の所在地周辺を除いた全蝦夷地を再び直轄地とし、つ
　　　いで東北諸藩に蝦夷地の警備を命じた。この時、仙台藩が命じられたのは、白老から襟
　　　裳岬を経て、クナシリ・エトロフ島にいたる広範囲の沿岸地域であった。仙台藩は元陣
　　　屋を白老に、出張陣屋を厚岸、根室、クナシリ島、エトロフ島に設置し、翌3年、御
　　　備頭・氏家秀之進以下200余名が警備の任についた。本図はこの時期に作成された地
　　　図で、風景を主体としたむしろ絵図というべきもので、描写は絵師による見事な筆致で
　　　ある。内訳は下記の通りである。
　　　（01）シラヲイ
　　　（02）ユウフツ
　　　（03）ウラカワ
　　　（04）シヤマニ

（05）クスリ

（06）アツケシ

（07）アツケシノ内ウラヤコタン

（08）子モロ

（09）子モロノ内ハナサキ

（10）クナシリノ内トマリ

（11）クナシリノ内フルカマフ

・・・

063　東蝦夷地御場所絵図

分類：日本図・地方図（蝦夷）　　　　　　形態・員数：写、折図、14枚

年代：1850年代

所蔵機関：市立函館図書館　　　　　　　　請求番号：002901-0512-6001

通し番号：02234〜02237

解説：松前藩が成立した江戸初期以来、収穫米による石高のない藩として、いかに財政を確
　　　保し安定させるかということの他に、家臣達にどのように知行を与えるかということが
　　　課題であった。それは、重臣等に蝦夷地沿岸の一部を知行地として権利を与え、そこで
　　　の漁獲を認めるというものであった。その与えられた漁業地域を「商場」または「場所」
　　　という。この「商場制度」は徐々に商人に請け負わせてその才覚に委ねるという「場所
　　　請負制」に替わっていき、そのまま明治初年まで続いた。したがって、請負場所の地図
　　　は用途によって多種多様に、そして大量に作成されたものと推測され、本図もそのよう
　　　な一つである。作成は安政年間のものであろう。内訳は次の通りである。

（01）ヤムクシナイ場所

（02）モロラン・エトモ両御場所

（03）ホロヘツ場所

（04）シラヲイ場所

（05）ユウフツ場所

（06）サル場所

（07）シツナ井場所

（08）アツケシ場所

（09）ウラカワ場所

（10）ホロイツミ場所

（11）クスリ場所

（12）アツケシ場所

（13）クナシリ嶋之図

（14）エトロフ場所

064　西蝦夷地場所絵図

分類：日本図・地方図（蝦夷）　　　　　　　　　形態・員数：写、折図、25枚

年代：1850年代

所蔵機関：市立函館図書館　　　　　　　　　　　請求番号：002901-0022-7001

通し番号：02238 ～ 02255

解説：この一括の図は、元は江差沖之口役所（現在の税関にあたる）で所蔵していたものと
　　　伝えられる。図の大きさは不揃いであり、描写も同筆ではなく精粗があり、また着彩図、
　　　無彩図と様々である。現在は江差町教育委員会の所蔵で、本図はその模写である。内訳
　　　は次の通りである。

（01）江指御役所図

（02）江指より大野村までの図

（03）透木・島小牧場所麁絵図

（04）スツゝ場所絵図

（05）ヲタスツ御場所絵図面

（06）礒谷御場所絵図面

（07）西蝦夷地岩内場所海岸切絵図

（08）西蝦夷地降雨場所海岸切絵図

（09）シヤコタン場所絵図面

（10）ヒクニ場所絵図面

（11）西蝦夷地ヨイチ麁絵図面

（12）西蝦夷地ヲシヨロ麁絵図面

（13）西蝦夷地石狩場所絵図

（14）石狩川漁場図

（15）西蝦夷地アツタ場所署図

（16）西蝦夷地アツタ・浜マシケ境界絵図

（17）浜マシケ山道海岸絵図

（18）マシケ場所絵図

（19）西蝦夷地ルゝモツヘ絵図

（20）トマゝイ場所絵図

（21）天塩海岸境より宗谷江刺までの図

（22）テウレ嶋図

（23）ヤンケシリ嶋図

（24）リイシリ島図

（25）レフンシリ島図

065 蝦夷全図　　65cm × 121cm

分類：日本図・地方図（蝦夷）　　　　　　　形態・員数：木、折図、1枚
内題：蝦夷地澗絵図　　　　　　　　　　　　年代：1800年代
所蔵機関：市立函館図書館　　　　　　　　　請求番号：別置
　　　　　　　　　　　　　　　　　　　　　通し番号：02256 ～ 02258

解説：通称「越後版」と言われる越後図を含む世界図・日本図など6枚一組箱入りの地図で、
　　　刊行は文化初年であろう。その中に含まれる蝦夷図は、寛政初年に作成された当時を代
　　　表する蝦夷図と同系統図である。『三国通覧図説』（林子平著、天明6年刊行）記載文
　　　の一部を転用した「蝦夷国図説」と題する地誌（1枚物）が添付されている。

066 蝦夷大概図　　33cm × 39cm

分類：日本図・地方図（蝦夷）　　　　　　　形態・員数：木、折図、1枚
筆者：松浦武四郎　　　内題：蝦夷大概之図　　年代：1850（嘉永3）年
所蔵機関：国立国会図書館　　　　　　　　　請求番号：特 1-3245
　　　　　　　　　　　　　　　　　　　　　通し番号：02259

解説：嘉永3年、蝦夷地の探検や調査で有名な松浦武四郎が初めて刊行した蝦夷地図である。
　　　西洋紙1枚ほどの大きさで、図形は、カラフト島の北部は描写されていないが、蝦夷
　　　地の輪郭は正確なものである。図面の左側に長文の漢詩が掲載されていて、内容は当時
　　　の松前藩政を批判したものである。

067 蝦夷沿革図　　32cm × 42cm

分類：日本図・地方図（蝦夷）　　　　　　　形態・員数：木、折図、1枚
筆者：松浦武四郎　　　内題：蝦夷国沿革図　　年代：1851（嘉永4）年
所蔵機関：市立函館図書館　　　　　　　　　請求番号：0008-63083-5009
　　　　　　　　　　　　　　　　　　　　　通し番号：02260

解説：本図も嘉永4年に松浦武四郎が刊行した地図で、内容は蝦夷地の歴史地図ともいう
　　　べきものである。図は東北地方、蝦夷地、千島列島、カラフト島から黒龍江沿岸付近、
　　　朝鮮までを描写する。カラフト島や蝦夷地の図形は、文化8年に山田聯が著した『北
　　　裔備攷』に掲載の「拙作蝦夷地略図」を取り入れたものであろう。特にカラフト島の図
　　　形は、外国図に見る「く」の字形のサハリン島図と、日本で作成された南カラフト島図
　　　とを組み合わせた特異な形である。

068 蝦夷闔境輿地全図　　119cm × 95cm

分類：日本図・地方図（蝦夷）　　　　　　　形態・員数：木、折図、1枚
筆者：橋本玉蘭斎　　　内題：蝦夷闔境輿地全図　年代：1854（嘉永7）年
所蔵機関：市立函館図書館　　　　　　　　　請求番号：002901-0523-5001
　　　　　　　　　　　　　　　　　　　　　通し番号：02261 ～ 02264

解説：ペリー来航、箱館開港、幕府による全蝦夷地再直轄、箱館奉行の再設置など、外交を含む北方問題が大きくクローズアップされた嘉永6年以降、民間から矢継ぎ早に蝦夷図の刊行が続いた。本図はその時期を代表する蝦夷図で、図形は当時一般に流布していた図を参考にしている。図を描いたのは幕末期の著名な浮世絵師の一人で、地図も多数作成している橋本玉蘭斎（五雲亭貞秀ともいう）であり、彩色刷の美しい図に仕上がっている。版元は江戸の文苑閣・播磨屋勝五郎である。

069　蝦夷松前一円図　144cm × 112cm

分類：日本図・地方図（蝦夷）　　　　　　形態・員数：木、折図、1枚
内題：改正蝦夷興地全図　　　　　　　　　年代：1859（安政6）年
所蔵機関：市立函館図書館　　　　　　　　請求番号：002901-0026-6001
　　　　　　　　　　　　　　　　　　　　通し番号：02265 ～ 02270

解説：安政6年に江戸の版元、文亀堂から刊行された大型蝦夷図で、図形は本稿068番に変わるところがない。目新しいのは周囲に地名と里程を掲載することである。

070　東西蝦夷山川地理取調図　55cm × 42cm

分類：日本図・地方図（蝦夷）　　　　　　形態・員数：木、折図、28枚
筆者：松浦武四郎　　　　　　　　　　　　年代：1860（安政7）年
所蔵機関：国立公文書館　　　　　　　　　請求番号：178-183
　　　　　　　　　　　　　　　　　　　　通し番号：02271 ～ 02285

解説：安政6年から7年にかけて木版印刷された、松浦武四郎の最も著名な切図様式の蝦夷地図である。全28枚の内訳は、2枚の説明書と経緯度1度を1枚とする26枚の地図から成る。蝦夷地全体の輪郭は、伊能忠敬と間宮林蔵の測量による蝦夷地実測図の輪郭を転用している。内陸部は武四郎の6度にわたる探検調査の成果を存分に取り入れた詳細なものである。特筆すべきは、山地の様子を初めて本格的なケバ法で表現したこと、河川は本・支流ともに細かに描写されること、地名が全地域にわたって沿岸から奥地に至るまで詳細に記載されていることである。26枚の図を貼り合わせると、縦2.43m、横3.64mの大図となる。市立函館図書館所蔵の「東西蝦夷山川地理取調圖　尾」（請求番号 0008-63083-3025）を含めて完全揃となる。

071　官板実測日本地図

分類：日本図・地方図（蝦夷）　　　　　　形態・員数：木、折図、2枚
年代：1865（慶応元）年
所蔵機関：市立函館図書館

　　　　　　　　　　　　　　　　　　　　通し番号：02286 ～ 02297

解説：伊能忠敬の実測による最終の日本全図は、文政4年に完成した。この地図は幕府に納められた他、各大名などの要請によって作成されたことはあるが、一般に出回ることはなかった。その後、幕府の学問所である開成所から、伊能図の内の小図（3枚組）が

— 41 —

刊行されることになった。蝦夷図には内陸の全地形が新たに描き加えられ、小島、大島、ヲクシリ島、リイシリ島、レフンシリ島も修正され、また、歯舞諸島、色丹島、エトロフ島が新しく追加された。さらにカラフト島図も新たに1枚として加えられたのである。このことは当時、幕府が北方図に強い関心を示していた証拠であろう。こうして慶応元年『官板実測日本地図』と題し、全4枚組で刊行された。さらにこの図は、明治3年に開成所の後身である大学南校から若干の修正をして再発行されている。本稿には北方関係2図をあげる。

1 蝦夷諸島図 （請求番号：002901-0035-7001; 157cm × 200cm）
2 北蝦夷図 （請求番号：0008-04033-7001; 205cm × 84cm）

072 北海道国郡図　　109cm × 92cm

分類：日本図・地方図（蝦夷）　　　　　　　　　　形態・員数：木、折図、1枚
筆者：松浦武四郎　　内題：北海道国郡全図　　　　年代：1869（明治2）年
所蔵機関：市立函館図書館　　　　　　　　　　　　請求番号：0008-63083-5007
　　　　　　　　　　　　　　　　　　　　　　　　通し番号：02298 〜 02301

解説：明治2年8月、明治新政府は蝦夷地を「北海道」と改称し、函館に開拓使を設置して、新しい北海道の開拓を開始した。本図は、その開拓使が開拓判官であった松浦武四郎に命じて作成させたものである。図中には民部卿・伊達宗城（宇和島藩主）の筆になる「寧静致遠」、初代開拓使長官・鍋島直正（佐賀藩主）の漢詩、二代長官・東久世通禧（京都の公家）の和歌を載せている。北海道に国・郡が設置された後、道国郡名を記載した最初の北海道全図である。本図は、題言・漢詩・和歌の全てを削除した後版である。

073 北海道国郡略図　　38cm × 51cm

分類：日本図・地方図（蝦夷）　　　　　　　　　　形態・員数：木、折図、1枚
筆者：松浦武四郎　　　　　　　　　　　　　　　　年代：1869（明治2）年
所蔵機関：市立函館図書館　　　　　　　　　　　　請求番号：0008-63083-6013
　　　　　　　　　　　　　　　　　　　　　　　　通し番号：02302

解説：松浦武四郎は多くの蝦夷図を作成した。この図は安政7年に刊行した『蝦夷闔境山川地理取調大概図』を、明治2年になって新たに道、国、郡名を追加して再発行したものである。第1巻057番を参照。

074 唐太図（仮）　　147cm × 97cm

分類：日本図・地方図（蝦夷）　　　　　　　　　　形態・員数：写、折図、1枚
所蔵機関：国立国会図書館　　　　　　　　　　　　請求番号：を二-63（11）
　　　　　　　　　　　　　　　　　　　　　　　　通し番号：02303

解説：寛政2年に最上徳内が著作した『蝦夷草紙』付図5枚の中に、「唐太島之図」と題するカラフト島図が含まれ、本図はそれと同系統である。南北に細長い大きな島として描かれ、経緯度線も記入される。地名は西海岸が詳細である。東京大学総合図書館には全

5枚が所蔵され、神戸市立博物館には北方周辺図と唐太島図の2枚が所蔵される。「蝦夷雑図」15枚の中の1枚である。

075　カラフト全図　　　53cm × 28cm

分類：日本図・地方図（蝦夷）　　　　　　　　　　形態・員数：写、折図、1枚

筆者：中村小市郎・高橋次太夫

所蔵機関：国立公文書館　　　　　　　　　　　　　請求番号：178-301

通し番号：02304

解説：享和元年6月、普請役・中村小市郎と小人目付出役・高橋次太夫は、幕命を受けてカラフト島検分を行った。中村はシラヌシから東海岸ナイブツまで、高橋はシラヌシから西海岸シヨウヤまで、それぞれ調査を終え、8月、山丹交易や松前藩の同島の取り扱いなどについて復命した。両名は島図も作成し、北部の図形については島民に聞くなどしたが、離島か半島かの結論を出し得ず、北部に貼紙をして、両説を取り入れる図を作成した。本図はその離島図である。西海岸のシヨウヤから東海岸のチベシヤニ付近まで、航路線が引かれている。

076　唐太図　　　113cm × 38cm

分類：日本図・地方図（蝦夷）　　　　　　　　　　形態・員数：写、折図、1枚

筆者：中村小市郎・高橋次太夫

所蔵機関：国立公文書館　　　　　　　　　　　　　請求番号：178-302

通し番号：02305 〜 02306

解説：本稿075番『カラフト全図』と同じく、中村、高橋両名の調査によるカラフト島図で、半島図である。しかし、北シレトコ岬付近の地形は修正されている。8枚の貼紙があって、各地への里程などを記している。

077　カラフト図（仮）　　　50cm × 14cm

分類：日本図・地方図（蝦夷）　　　　　　　　　　形態・員数：写、折図、1枚

所蔵機関：国立国会図書館　　　　　　　　　　　　請求番号：を二-63（11）

通し番号：02307

解説：本稿074番「唐太図」に貼付されている無彩色の小図で、その図形から、享和元年の中村・高橋の両名によるカラフト半島図であることが分かる。しかし、地形はやや変形している。

078　唐太嶋図　　　84cm × 33cm

分類：日本図・地方図（蝦夷）　　　　　　　　　　形態・員数：写、折図、1枚

筆者：間宮林蔵

所蔵機関：国立公文書館　　　　　　　　　　　　　請求番号：178-389

通し番号：02308 〜 02309

解説：文化 5 年 3 月、松前奉行調役下役元締・松田伝十郎と雇の間宮林蔵の両名が、カラ
フト島奥地検分を命じられ、松田は西海岸をラッカ岬まで進み、対岸の黒龍江を望んで、
カラフト島が離島であることを確信する。間宮は東海岸を北シレトコ岬まで進み、折り
返して西海岸に出て、松田と共に再びラッカ岬に至って対岸を遠望した後帰路につき、
閏 6 月宗谷に帰着した。本図はこの時作成された間宮林蔵自筆図と言われる。シラヌ
シから西はラッカ岬まで、東は北シレトコ岬までを「見分仕候路筋」として、点線が引
かれている。

079　唐太嶋図　　66cm × 24cm

分類：日本図・地方図（蝦夷）　　　　　　　　　　　　　形態・員数：写、折図、1 枚
筆者：間宮林蔵
所蔵機関：国立公文書館　　　　　　　　　　　　　　　　請求番号：178-303
　　　　　　　　　　　　　　　　　　　　　　　　　　　通し番号：02310

解説：文化 5 年閏 6 月、松前奉行は間宮に再びカラフト島検分を命じた。7 月、シラヌシを
出発してトンナイで越年、翌 6 年 1 月、再び出発し、5 月にナニオーに至る。6 月、対
岸の黒龍江に渡り、7 月、満州仮府のあるデレンに到着した。ここから帰路につき、9 月末、
宗谷に帰着する。この探検が後に「間宮海峡」発見として世に広まることになる。本図
は間宮林蔵自筆図と言われ、「乍恐口上覚」と題する説明・凡例があり、また 10 枚の
付箋があって、「此所満州国出張之役所ニ御座候」などと記している。

080　北蝦夷地図　　81cm × 30cm

分類：日本図・地方図（蝦夷）　　　　　　　　　　　　　形態・員数：原、折図、1 枚
筆者：間宮林蔵　　　　　　　　　　　　　　　　　　　　年代：1811（文化 8）年
所蔵機関：国立公文書館　　　　　　　　　　　　　　　　請求番号：特 94-3
　　　　　　　　　　　　　　　　　　　　　　　　　　　通し番号：02311 ～ 02312

解説：本図は幕府献上本である『北夷分界余話』全 10 帳の第 1 帳巻頭に掲載されるカラフ
ト島図である。同書は間宮林蔵口述・村上貞助著で、文化 8 年 3 月と記す。その図形
は本稿 079 番「唐太嶋図」とほとんど変わるところがない。なお、幕府は文化 6 年 6 月、
カラフト島を以後「北蝦夷地」と唱える旨を決定し、公表した。

081　カラフト島図　　131cm × 57cm

分類：日本図・地方図（蝦夷）　　　　　　　　　　　　　形態・員数：写、折図、1 枚
年代：1820 年代
所蔵機関：国立公文書館　　　　　　　　　　　　　　　　請求番号：178-316
　　　　　　　　　　　　　　　　　　　　　　　　　　　通し番号：02313 ～ 02315

解説：図形は間宮林蔵の第 2 回目の探検結果によるカラフト島図と、基本的に同系統では
あるが、異なる部分がいくつかある。その 1 は中シレトコ岬からトンナイチヤに至る
海岸線が記入されないこと、2 は北シレトコ岬から北端まで未測の東海岸線が異なるこ

－ 44 －

と、3は内陸に大きな河川が2つ描写され、その支流まで地名が記入されること、4は緯度1度の間隔が狭まり、緯度50度の位置が黒龍江下流部分まで下がったことである。また、付箋があって、「シーボルト所持品之内より取上候」と記されている。元は本稿053番「蝦夷図」と対になっていたものと推測され、幕府天文方の編集図であろうか。

082　唐太島分間絵図　　274cm × 128cm

分類：日本図・地方図（蝦夷）　　　　　　　　　形態・員数：写、折図、1枚
所蔵機関：国立公文書館　　　　　　　　　　　　　　　　　　　　請求番号：178-304
　　　　　　　　　　　　　　　　　　　　　　　　　　　　通し番号：02316 ～ 02321

解説：嘉永7年2月、幕府は目付・堀利熙、勘定吟味役・村垣範正に、松前蝦夷地出張を命じた。両名は6月、カラフト島のクシュンコタンに渡り、ロシア陣営跡を視察し、東西海岸を検分した。その後、部下に、東海岸はタライカまで、西海岸はホロコタンまでを調査させた。この時、随行した松前藩士で測量家の今井八九郎は、北緯52度付近の西海岸ナッコまで調査している。本図はこの時の作成図と推定できる。図の特徴は東はタライカ付近まで、西はナッコ付近までは正確な図形をもち、未測量の北シレトコ岬と北端が東側に鋭く突き出ている。この図の作成に今井八九郎がどれ程関わったのかは不詳である。本図には詳細な里程表も掲載されている。同系統図は北海道大学附属図書館北方資料室や国立歴史民俗博物館などに所蔵される。

083　北蝦夷山川地理取調図　　49cm × 36cm

分類：日本図・地方図（蝦夷）　　　　　　　　　形態・員数：原、折図、19枚
筆者：松浦武四郎　　　　　　　　　　　　　　　　　　年代：1860（万延元）年
所蔵機関：市立函館図書館　　　　　　　　　　　請求番号：0008-63083-3026
　　　　　　　　　　　　　　　　　　　　　　　　　　　　通し番号：02322 ～ 02331

解説：松浦武四郎の著作『東西蝦夷山川地理取調図』全28枚組（本稿070番）と同じ形式で、万延元年10月に作成されたカラフト島図であるが、内訳は1枚が解説書、18枚が地図である。経緯度各1度で1枚とし、全18枚をつなぎ合わせると縦4.37m、横1.46mとなる。本図は刊行されることなく終わり、北海道立図書館、名古屋市蓬左文庫、国文学研究資料館（松浦家委託文書）などに所蔵される。

084　唐太島絵図　　215cm × 115cm

分類：日本図・地方図（蝦夷）　　　　　　　　　形態・員数：写、折図、1枚
年代：1860年代
所蔵機関：国立公文書館　　　　　　　　　　　　　　　　　　　　請求番号：178-386
　　　　　　　　　　　　　　　　　　　　　　　　　　　　通し番号：02332 ～ 02337

解説：一見して見事な図形に驚くほどのカラフト島図である。それは従来のカラフト島図には決して見られなかった、北シレトコ岬から北上して北端までの東海岸線が、実測によると思われる輪郭だからである。また、対岸の黒龍江沿岸の図形も正確で、地名や説明

文も詳しく、「ニコライスケ、魯人住居」などと記載されている。安政6年、栗山太平や倉内忠右衛門がニコラエフスクに着岸、万延元年と翌文久元年には箱館奉行が貿易のためニコラエフスクへ船を派遣、慶応元年には岡本文平と西村伝九郎がカラフト島一周の快挙を成し遂げるなど、カラフト島の奥地に関しての情報が一挙に多くなる時期の作成図であろう。

・・

085　樺太七州図　　　　　153cm × 63cm

分類：日本図・地方図（蝦夷）　　　　　　　　　　形態・員数：写、折図、1枚
内題：樺太七州図　　　　　　　　　　　　　　　　　　　　　年代：1870年代
所蔵機関：国立公文書館　　　　　　　　　　　　　　　　請求番号：177-283
　　　　　　　　　　　　　　　　　　　　　　　　　通し番号：02338 ～ 02339

解説：幕末から明治初年の作成図である。題名通りカラフト全島を7つの区域に分けてあり、この分割地区は計画のみで実施にはいたらなかったものである。図形は当時としてはやや不正確であるが、緯度線が引かれている。「外務省図書記」の蔵書印があり、また、帙には「明治六年五月　外務省」と記されている。

・・

086　蝦夷地二拾三嶌之図　　　78cm × 179cm

分類：日本図・地方図（蝦夷）　　　　　　　　　　形態・員数：写、折図、1枚
筆者：近藤重蔵
所蔵機関：国立公文書館　　　　　　　　　　　　　　　　請求番号：178-294
　　　　　　　　　　　　　　　　　　　　　　　　　通し番号：02340 ～ 02342

解説：寛政10年から享和2年まで5回にわたって、エトロフ島開発に当った幕吏・近藤重蔵が、寛政12年7月に作成した千島列島図がある。レフンチリホイ島からカムサツカ半島までの島々を図したもので、その説明文によると、ラショワ島住民・イチヤンゲムシに米粒をもって島々の形状を作らせ、それに基づいて作成した図という。その後に作成された「蝦夷地図」と共に『蝦夷地図式』と題された2枚組があり、本図はその系統図の1枚である。本稿022番を参照。

・・

087　エトロー嶋東北郡嶌之図　　80cm × 158cm

分類：日本図・地方図（蝦夷）　　　　　　　　　　形態・員数：写、折図、1枚
筆者：近藤重蔵　　　　　　内題：エトロー島東北郡嶌之図
所蔵機関：市立函館図書館　　　　　　　　　　　請求番号：002901-7038-8001
　　　　　　　　　　　　　　　　　　　　　　　　　通し番号：02343 ～ 02345

解説：本図は本稿086番と同系統図である。「旅台命海岸図誌　小臣　近藤守重謹記」と記されている。「加治秘蔵門外不出・加治兵書・加治家蔵」の蔵書印があり、これによって、本図は加治啓次郎（号は柴山）の旧蔵図であることがわかる。本稿047番を参照。

088　千島図（仮）　　　13cm × 55cm

　　分類：日本図・地方図（蝦夷）　　　　　　　　形態・員数：写、折図、1枚
　　所蔵機関：国立公文書館　　　　　　　　　　　　　請求番号：178-137

　　　　　　　　　　　　　　　　　　　　　　　　　　通し番号：02346

　　解説：寛政2年、最上徳内の著作になる『蝦夷草紙』付図5枚の1枚で、「古蝦夷全図」（本
　　　　稿014番）図中に貼付された無彩色の千島列島図である。エトロフ島北端からシユム
　　　　チテウ島（占守島）までの島々を描写したもので、その島形は非常に正確である。いつ
　　　　頃作成されたものかは不詳である。

089　魯西亜国渡海嶋々図　　　27cm × 555cm

　　分類：日本図・地方図（蝦夷）　　　　　　　　形態・員数：写、折図、1枚
　　所蔵機関：市立函館図書館　　　　　　　　請求番号：002901-7820-7001

　　　　　　　　　　　　　　　　　　　　　　通し番号：02347 ～ 02348

　　解説：長さが5m以上にもなる大きな千島列島図である。クナシリ島からレブンコタン島ま
　　　　で20程の島々を描写する図で、それ以北の島々については、島名のみ11を記す。巻
　　　　末にある説明文によると、文化7年7月、エトロフ島へ来たラショワ島の住民に描か
　　　　せたものという。「高泉草堂蔵書・桜井家蔵図書之印」の蔵書印がある。

090　蝦夷クナシリ嶋図　　　78cm × 169cm

　　分類：日本図・地方図（蝦夷）　　　　　　　　形態・員数：写、折図、1枚
　　所蔵機関：国立公文書館　　　　　　　　　　　　　請求番号：178-293

　　　　　　　　　　　　　　　　　　　　　　通し番号：02349 ～ 02351

　　解説：クナシリ島の西半分のみを描写した図で、チヤシシよりチカツブナイワタラを結ぶ以
　　　　東は描かれていない。沿岸線は実測と思われる朱の直線で引かれている。本図と同じ図
　　　　形が伊能忠敬の実測日本全図の中に取り入れられているので、間宮林蔵の作成図と言わ
　　　　れるのもうなずけよう。

第IV巻　蝦夷

001 文化度蝦夷地湊々測量之図

分類：日本図・地方図（蝦夷）　　　　　　　　　　　形態・員数：写、巻子本、2巻
年代：1810年代
所蔵機関：市立函館図書館　　　　　　　　　　　　　　　　請求番号：別置
　　　　　　　　　　　　　　　　　　　　　　　　通し番号：02352 〜 02367

解説：巻の初めに「この図は江戸の某が17年間蝦夷地を測量して描きたるもの」と記している。ヤムクシナイ会所からアンネベツ番屋まで、東蝦夷地の会所・番屋とその周辺を実測した25個所の地図と、ウルツフ島図、利別川上流砂金採掘図から成る彩色絵巻である。掲載の紀行文も、各地の方位・里程・家数・人口・産物・施設などを詳細に記述している。砂金採掘図に高麗林平の名が見え、紀行文は高麗鱗平著作の『蝦夷日記』と同文である。

002 蝦夷海岸会所見取画図

分類：日本図・地方図（蝦夷）　　　　　　　　　　　形態・員数：写、折本、1帳
年代：1810年代
所蔵機関：市立函館図書館　　　　　　　　　　　請求番号：002901-0102-6005
　　　　　　　　　　　　　　　　　　　　　　　　通し番号：02368 〜 02376

解説：本稿001番とほぼ同じ内容をもつ無彩の地図で、会所・番屋周辺図26図の他に、利別川砂金地古図、小安付近・ヒウラ付近・レブンゲ付近の鉱山図、千島列島図もある。紀行文は掲載されていない。

003 松前津軽領湊針路略図　　　61cm × 55cm

分類：日本図・地方図（蝦夷）
形態・員数：写、折図、1枚
所蔵機関：市立函館図書館　　　　　　　　　　　請求番号：002901-06360-5001
通し番号：02377

解説：津軽海峡（江戸期にはこの名称はない）を挟んで互いの対岸を描写した図である。蝦夷地沿岸は松前から箱館を通り内浦湾を経て室蘭にいたるまでを表現した略図である。

004 函館海峡図　　　59cm × 96cm

分類：日本図・地方図（蝦夷）　　　　　　　　　　　形態・員数：写、折図、1枚
所蔵機関：市立函館図書館　　　請求番号：002901-1024-4001
　　　　　　　　　　　　　　　　　　　　　　　　　　通し番号：02378

解説：津軽海峡を挟んで、陸奥側の沿岸と対岸を描写した図である。地名も詳細で、蝦夷地は箱館を中心に江差から恵山までの範囲を示している。

005 御国松前津軽船路図　　51cm × 60cm

分類：日本図・地方図（蝦夷）　　　　　　　　　形態・員数：写、折図、1枚
年代：1850 年代
所蔵機関：市立函館図書館　　　　　　　　　　　請求番号：002901-0037-4001
　　　　　　　　　　　　　　　　　　　　　　　通し番号：02379

解説：津軽海峡を挟んで互いの対岸を描写したもの。嘉永 2 年云々の貼紙があることから、
　　　その当時の作成になるものであろう。航路線が縦横に引かれ、詳細な書き入れもある。

006 文化前後箱館近郷村絵図

分類：日本図・地方図（蝦夷）　　　　　　　　　形態・員数：写、折図、1枚
年代：1820 年代
所蔵機関：市立函館図書館　　　　　　　　　　　請求番号：002901-1591-4001
　　　　　　　　　　　　　　　　　　　　　　　通し番号：02380

解説：箱館港を中心に、西は木古内付近から、東は落部（現在の八雲町落部）付近までの沿
　　　岸から内陸部分を描写したもので、数多くの地名や山名が見える。「御台場」の文字が
　　　あるのが注目される。

007 箱館附在々六ケ場所道途絵図

分類：日本図・地方図（蝦夷）　　　　　　　　　形態・員数：写、折本、1帳
筆者：五十嵐義度　　　　　　　　　　　　　　　年代：1860（万延元）年
所蔵機関：市立函館図書館　　　　　　　　　　　請求番号：002901-0018-7001
　　　　　　　　　　　　　　　　　　　　　　　通し番号：02381 ～ 02382

解説：この図は、西は知内から東は山越内までの範囲を描写したものであり、最大の特徴は
　　　地図全体を折帳に合わせて、細長く変形して描写していることである。このように意図
　　　的に変形した図は江戸期の北方図にはきわめて珍しい。内容を見ると、主な村には家数
　　　が記され、村から村までの里数も細かく記載される。さらに山道にも里数が記されてい
　　　るなど詳細である。六ケ場所とは箱館の東側沿岸に位置し、松前藩の重臣に貸与し漁業
　　　経営権を与える土地、小安・戸井・尻岸内・尾札部・茅部・野田追の六個所をいう。

008 渡島国之図　　74cm × 89cm

分類：日本図・地方図（蝦夷）　　　　　　　　　形態・員数：写、折図、1枚
筆者：目賀田守蔭　　　　　　　　　　　　　　　年代：1870 年代
所蔵機関：国立公文書館　　　　　　　　　　　　請求番号：177-143
　　　　　　　　　　　　　　　　　　　　　　　通し番号：02383

解説：現在の渡島半島を描写した図で、その図形や描写から、安政年間に幕命により蝦夷地
　　　を調査した目賀田守蔭の作成した図と推測される。山地表現には当時としては珍しくケ
　　　バを用いている。森村には「従箱館此処迄十里」とあり、戸井・札苅・安野呂付近の 3

個所には「距箱館十里」と記す。これは開港場において原則として十里四方まで外国人の遊歩が認められることになり、箱館においてもこれが実施されたからである。この遊歩規程は明治維新後もそのまま続けられ、外国人が自由に国内を旅行できるようになるのは、明治32年の条約改正後である。「外務省図書記」の蔵書印がある。

009 茅部郡森村古図縦　75cm × 86cm

分類：日本図・地方図（蝦夷）　　　　　形態・員数：写、折図、1枚
年代：1860年代
所蔵機関：市立函館図書館　　　　　　　請求番号：002901-2006-7001
　　　　　　　　　　　　　　　　　　　　　　　通し番号：02384

解説：東蝦夷地の内浦湾に面する森村（現在の森町）の明治維新前後の図である。尾白内川から鳥崎川までの範囲を描写し、沿岸付近には家並みが描かれ、山側には画面いっぱいに「番号・字名・畑面積・氏名」が記載されている。

010 東蝦夷地ヤムクシナイ絵図面　38cm × 107cm

分類：日本図・地方図（蝦夷）
年代：1850年代
所蔵機関：市立函館図書館　　　　　　　請求番号：002901-0039-8001
　　　　　　　　　　　　　　　　　　　　　　　通し番号：02385

解説：東蝦夷地の和人地との境、野田追（現在の八雲町野田生）からシツカリ（現在の長万部町静狩）の沿岸を描いた図である。ヲシャマンベに「南部美濃守屯所」が見えるので、安政2年以降の作成図であろう。各地の里数が記載されている。

011 長万部村付近絵図　36cm × 45cm

分類：日本図・地方図（蝦夷）　　　　　形態・員数：写、折図、1枚
年代：1850年代
所蔵機関：市立函館図書館　　　　　　　請求番号：002901-4027-4001
　　　　　　　　　　　　　　　　　　　　　　　通し番号：02386

解説：題名通り、長万部川を中心として、その周辺から上流のアブタ領境までを図している。1里杭が多く描写しているのが目につく。また、会所・永住小家・土人小家・小休所も見える。

012 東蝦夷石川左近將監廻嶋場所道法附絵図　59cm × 127cm

分類：日本図・地方図（蝦夷）　　　　　形態・員数：写、折図、1枚
年代：1832（天保3）年
所蔵機関：国立公文書館　　　　　　　　請求番号：178-167
　　　　　　　　　　　　　　　　　　　　　　　通し番号：02387

解説：寛政11年1月、蝦夷地取締御用掛に任命された石川忠房は江戸での任務が続き、実際に蝦夷地へ渡ったのは享和元年4月で、視察は東蝦夷地のシレトコ岬までであった。

図はシラヌカ、アッケシ、ノツシヤフ崎からノツケ崎を過ぎ、シレトコ岬を一周してシャリに至るまでを図したもの。地名は詳細で航路線もあり、各地への里数も記載される。表紙には天保3年8月、脇坂中務大輔が石川忠房から借用して写した旨が記されている。

013 蝦夷久摺絵図　　　28cm × 41cm

分類：日本図・地方図（蝦夷）　　　　　　　　　形態・員数：写、折図、1枚
年代：1850年代
所蔵機関：市立函館図書館　　　　　　　　　　　請求番号：002901-7021-5003
　　　　　　　　　　　　　　　　　　　　　　　通し番号：02388

解説：東蝦夷地クスリ（現在の釧路市）から山越えしてシャリ（現在の斜里町）に至る、いわゆるシャリ越え（シャリ山道ともいう）の図である。小図ではあるが、地形が把握でき、経路もよく分かり、地名も詳細である。

014 仙台藩管轄厚岸領図

分類：日本図・地方図（蝦夷）　　　　　　　　　形態・員数：写、折図、1枚
年代：1859（安政6）年
所蔵機関：市立函館図書館　　　　　　　　　　　請求番号：002901-7031-5001
　　　　　　　　　　　　　　　　　　　　　　　通し番号：02389

解説：アッケシ湾付近からキリタツフ、コンフモイ付近までを図す。沿岸には多数の地名が記載され山道も見える。

015 東蝦夷地子モロ並シコタン嶋図　　　55cm × 81cm

分類：日本図・地方図（蝦夷）
年代：1850年代
所蔵機関：市立函館図書館　　　　　　　　　　　請求番号：002901-7512-6001
　　　　　　　　　　　　　　　　　　　　　　　通し番号：02390

解説：題名通りに、ネモロ（現在の根室市）、ノツケ崎、シレトコ岬までと、シコタン島（色丹島）、歯舞諸島を描いた略図である。

016 西蝦夷地分間

分類：日本図・地方図（蝦夷）　　　　　　　　　形態・員数：写、冊子、1冊
年代：1800年代
所蔵機関：市立函館図書館　　　　　　　　　　　請求番号：00290-420-5001
　　　　　　　　　　　　　　　　　　　　　　　通し番号：02391 ～ 02396

解説：西蝦夷地の根部田村より宗谷までの、各地域の里程・家数・人口・請負人名・運上金・役アイヌ人名などの記事の他、別に松前から宗谷を経て知床岬までの沿岸図を掲載する。本書の扉に「景晋印」の蔵書印があるので、寛政11年に東蝦夷地を視察した幕吏、遠山金四郎景晋の旧蔵書と思われる。同書は、東京大学史料編纂所の「近藤重蔵遺書」に

もあり、それには、巻末に「寛政戊午（10年）三月、近藤守重」と記されている。

017 西蝦夷地江差在目名村近郷図　　68cm × 120cm

分類：日本図・地方図（蝦夷）　　　　　　　　形態・員数：写、折図、1枚

年代：1850年代

所蔵機関：市立函館図書館　　　　　　　　　　請求番号：002901-2420-6001

通し番号：02397

解説：西蝦夷地、江差の山間部に位置する村々やその周辺の様子を描いたもので、目名川上
　　　流の川筋に沿って、土場村、中崎村、目名村、小黒部村、イヤシナイ沢などの地名が見
　　　え、それぞれに家数を記す。村々をつなぐ道路も引かれている。

018 古平郡全図

分類：日本図・地方図（蝦夷）　　　　　　　　形態・員数：写、折図、1枚

年代：1870年代

所蔵機関：市立函館図書館　　　　　　　　　　請求番号：002901-3585-3001

通し番号：02398

解説：古平郡内の沢江村、浜中村、入船町新地、入船町、群来村周辺の沿岸部を描写した図
　　　である。海岸に沿って家並が見られ、ところどころに、戸数、人員の記入があるが、地
　　　名は少ない。明治初年の作成であろう。

019 蝦夷ソウヤ図　　67cm × 78cm

分類：日本図・地方図（蝦夷）　　　　　　　　形態・員数：写、折図、1枚

年代：1808（文化5）年

所蔵機関：国立公文書館　　　　　　　　　　　請求番号：178-164

通し番号：02399

解説：表紙に「蝦夷ソウヤ図　崎陽訳士・馬場為八郎所図」と記され、この図の来歴が判明
　　　する。すなわち、文化3・4年、ロシアの武装艦がカラフト島、エトロフ島、礼文島沖、
　　　利尻島を襲ったロシア襲撃事件が起きたため、幕府は大勢の役人を蝦夷地に派遣して各
　　　地を調査させた。この時、長崎の小通詞格・馬場為八郎は蝦夷地御用の任命を受けて江
　　　戸に上り、翌5年、蝦夷地に渡り宗谷までを視察した。本図はその時のものであろう。
　　　ノツシヤブ岬からソウヤまでを描写した図で、ソウヤには勤番所と運上屋が見える。

020 松前御城下図

分類：日本図・地方図（蝦夷）　　　　　　　　形態・員数：写、折図、1枚

所蔵機関：市立函館図書館　　　　　　　　　　請求番号：002901-2011-4001

通し番号：02400

解説：江戸初期に成立した松前藩は、蝦夷地の南端に位置し、外様で無高の小藩であった。
　　　藩主は代々松前氏で、14代におよんだ。松前城下図はいつ頃から作成されたか不明だが、

本図は比較的古い図と思われる。海岸側から陸地を見渡し、西は弁天島から東は白神崎までの範囲を描写していて、この形式が以後踏襲された。「御城」を中心に町名が記入され、多数の神社・寺院名が記載されている。後年の図のように、家臣名はまだ記入されていない。

・・・

021 松前分間絵図　　　　83cm × 154cm

分類：日本図・地方図（蝦夷）　　　　　　　　　形態・員数：写、折図、1枚
所蔵機関：市立函館図書館　　　　　　　　　　　請求番号：002901-2636-6001
　　　　　　　　　　　　　　　　　　　　　　　通し番号：02401 ～ 02402

解説：本稿020番とほぼ同じ構図であるが、それより格段に詳細な図である。神社・寺院名の他に、町中の道路には町名や路の距離を記し、前図にはなかった家臣名が屋敷地の中に、多数記載されている。

・・・

022 元松前居所幷市中惣図　　　　84cm × 155cm

分類：日本図・地方図（蝦夷）　　　　　　　　　形態・員数：写、折図、1枚
所蔵機関：市立函館図書館　　　　　　　　　　　請求番号：002901-2003-4001
　　　　　　　　　　　　　　　　　　　　　　　通し番号：02403 ～ 02405

解説：本稿021番と全く同じ構図であり、神社・寺院の他、町名や道路の距離を記すのも同じである。しかし、家臣名は一つも記されていない。おそらく未完成で終わった図であろう。

・・・

023 松前之図　　　　80cm × 85cm

分類：日本図・地方図（蝦夷）　　　　　　　　　形態・員数：写、折図、1枚
所蔵機関：市立函館図書館　　　　　　　　　　　請求番号：002901-0636-6003
　　　　　　　　　　　　　　　　　　　　　　　通し番号：02406 ～ 02408

解説：本稿020番と同じ構図であるが、海岸線がほぼ一直線に描写されているところが異なる。寺社名、町名および道路の距離が記入され、家臣名も記載されている。

・・・

024 松前湊之図・魯西亜人営館之図　　　　76cm × 260cm

分類：日本図・地方図（蝦夷）　　　　　　　　　形態・員数：写、折図、1枚
年代：1850年代
所蔵機関：市立函館図書館
　　　　　　　　　　　　　　　　　　　　　　　通し番号：02409 ～ 02412

解説：「松前湊之図」は本稿023番と同図である。「魯西亜人営館之図」は嘉永6年9月、ロシア海軍大佐ネヴェリスコイがカラフト島占領の命を受けてクシュンコタンに上陸し、そこに屋舎・物見櫓・穴蔵を築造し、柵をめぐらし、大筒を備えた陣営（ムラビヨフ哨所）を築いた図である。建物の間取りもよくわかり、櫓や柵の高さや広さも記入され、詳細な説明文も載っている。この陣営は、安政元年、日露和親条約が締結された翌2年2月、幕命により松前藩が撤去した。

025 松前全図

分類：日本図・地方図（蝦夷）　　　　　　　　形態・員数：写、折図、1枚
年代：1850年代
所蔵機関：市立函館図書館　　　　　　　　　　請求番号：002901-2636-6002
　　　　　　　　　　　　　　　　　　　　　　通し番号：02413 ～ 02414

解説：ヲヨベ川から弁天島までの松前城下全景を描写した風景画風の地図である。嘉永7年10月に竣工した松前城が描かれているからそれ以降の作成図であろう。

026 松前箱館江差嶴地図　　　30cm × 130cm

分類：日本図・地方図（蝦夷）　　　　　　　　形態・員数：写、折本、1帳
筆者：秦檍丸　　　　　　　　　　　　　　　　年代：1807（文化4）年
所蔵機関：市立函館図書館　　　　　　　　　　請求番号：0008-68162-6004
　　　　　　　　　　　　　　　　　　　　　　通し番号：02415

解説：図の巻末に「文化四年丁卯十一月製、秦檍丸」とあり、秦檍丸（本名　村上島之允）が作成した図である。檍丸にとって、この3図「御城下・箱館・江差」は得意の図であったらしく、著作の『蝦夷島奇観』に3図共に掲載されているものがあるし、文化5年に作成した『蝦夷島地図』にもこの3図が掲載されている。

027 箱館村古図　　　61cm × 116cm

分類：日本図・地方図（蝦夷）　　　　　　　　形態・員数：写、折図、1枚
年代：1810年代
所蔵機関：市立函館図書館　　　　　　　　　　請求番号：002901-1017-7011
　　　　　　　　　　　　　　　　　　　　　　通し番号：02416

解説：港湾側から箱館山を見る図で、山の描写といい、道路の線描といい、素朴な感じの図である。書き入れ文によると、本図は北見常五郎に関わり、公儀へ差し出された図であると言う。北見常五郎は松前藩の重臣で、天明から寛政期にかけて、カヤベ場所（現在の砂原町・森町一帯）の知行主であった。図は海岸から箱館山にかけて道路が引かれ、御番所を中心に町名や寺社名がいくつか記入されている。

028 箱館澗内絵図

分類：日本図・地方図（蝦夷）　　　　　　　　形態・員数：写、折図、1枚
年代：1820年代
所蔵機関：市立函館図書館　　　　　　　　　　請求番号：002901-1513-5001
　　　　　　　　　　　　　　　　　　　　　　通し番号：02417

解説：箱館山周辺を中心に、西は矢越崎まで、東は塩首崎までを図す。築島に「長崎御用蔵」が見え、南部・津軽の各陣屋や佐竹勢陣営があって、文化年間の図であることが判明する。近年の新しい模写図である。

029 分間箱館全図

分類：日本図・地方図（蝦夷）
年代：1801 （享和元）年
所蔵機関：市立函館図書館

形態・員数：写、折図、1枚

請求番号：002901-1591-5001
通し番号：02418 〜 02419

解説：実測による箱館市街平面図である。「享和元年酉九月、大工棟梁橋本次郎兵衛扣」とあり、縮尺は四分十間という。色分けによって、御用屋鋪武家屋鋪・寺社地・町地などと、地番を入れて区分している。町名も少し見える。

030 奥州箱館之図　　65cm × 68cm

分類：日本図・地方図（蝦夷）
筆者：中洲風松
所蔵機関：市立函館図書館

形態・員数：写、折図、1枚
年代：1829（文政12）年
請求番号：002901-1014-5001
通し番号：02420 〜 02421

解説：本稿029番と同じ図である。地番の記入はなく、津軽勤番所や南部勤番屋敷などの文字が見え、文化年間の図であることが分かる。

031 箱館市中細絵図

分類：日本図・地方図（蝦夷）
年代：1830年代
所蔵機関：市立函館図書館

形態・員数：写、折図、1枚

請求番号：002901-1513-4015
通し番号：02422 〜 02423

解説：本稿029番と同じ図である。地番の記入もあり、書き入れの多い図である。御役所屋鋪の通りには、御板蔵、御土蔵、外陣、御作事所が見える。浄玄寺拝借地、称名寺拝借地のほか、高田金兵衛拝借地があり、築島には「高田金兵衛持」と記されている。高田屋嘉兵衛が郷里へ帰り、弟の金兵衛が家業を引き継ぐのは文政元年なので、本図はそれ以降の作成図であろう。

032 奥州箱館絵図

分類：日本図・地方図（蝦夷）
年代：1840年代
所蔵機関：市立函館図書館

形態・員数：写、折図、1枚

請求番号：002901-1022-5001
通し番号：02424

解説：海側から箱館山を望んだ鳥瞰図である。沿岸に築島と家並が見え、湾には帆船が浮かぶ。山腹から頂上にかけて一から三十三の数字が記入されていて、これは天保5（1834）年に安置された三十三所観音像を示している。地名の記入はほとんど見られない。

033 箱館澗内測量之図　35cm × 46cm

分類：日本図・地方図（蝦夷）

筆者：小島左近

所蔵機関：市立函館図書館

形態・員数：写、折図、1枚

年代：1862（文久2）年

請求番号：002901-0126-6002

通し番号：02425

解説：本図は箱館山を中心に周辺の地域を描写した小図で、貴重な図である。それは嘉永2年、幕府が沿岸諸藩に命じて沖合の水深を調査させ、その調査結果と思われる水深の数値が、当別付近から箱館山沿岸までの22個所にわたって記入されているからである。小島左近は津軽藩士で、文久年間に箱館で勤務している。

034 箱館之図

分類：日本図・地方図（蝦夷）

年代：1855（安政2）年

所蔵機関：市立函館図書館

形態・員数：写、折図、1枚

請求番号：002901-1513-6011

通し番号：02426 〜 02427

解説：安政2年2月、幕府は再び蝦夷地を直轄地とし、箱館奉行を設置した。そして3月には仙台・秋田・南部・津軽・松前の5藩に蝦夷地の警備を命じた。南部藩は箱館の他、恵山岬から東蝦夷地幌別までの沿岸一帯を持ち場として警備することになり、5月から7月にかけて、持ち場の検分を実施した。本図はこの時に作成された図である。箱館山を中心に西は当別から東は箱館在大森浜付近までを描写している。また、この図には本稿033番に見える沖合の深浅の数値も記載されている。さらに箱館の海岸里程、市中間数、町家数・人別、寺社名などの詳細な表が付されている。南部藩旧蔵書の模写図である。

035 箱館港市街地図

分類：日本図・地方図（蝦夷）

筆者：源則房

所蔵機関：市立函館図書館

形態・員数：写、折図、1枚

年代：1855（安政2）年

請求番号：002901-1646-5001

通し番号：02428

解説：本図は箱館山鳥瞰図に市街平面図を合わせたユニークな地図で、「維時安政二乙卯仲穐為公地致分見図面　源則房写」と記載がある。

036 松前箱館図　51cm × 54cm

分類：日本図・地方図（蝦夷）

年代：1850 年代

所蔵機関：市立函館図書館

形態・員数：写、折図、1枚

請求番号：002901-1636-3001

通し番号：02429

解説：本稿035番と同じように、鳥瞰図と平面図を合わせたような小図である。

037 箱館町之図

分類：日本図・地方図（蝦夷）　　　　　　　形態・員数：写、折本、1帳
年代：1850年代
所蔵機関：市立函館図書館　　　　　　　　　請求番号：002901-1023-6001
　　　　　　　　　　　　　　　　　　　　　通し番号：02430～02437

解説：箱館山を中心に西側の沿岸を描く風景画的な地図である。箱館市街周辺には陣屋跡、
　　　築島、桝形、万年橋、七重浜などが見え、対岸には有川、当別、三ツ石、サツカリ、木
　　　古内などの地名が見える。

038 亜墨利加船松前箱館湊江入津の図

分類：日本図・地方図（蝦夷）　　　　　　　形態・員数：写、折図、1枚
年代：1854（嘉永7）年
所蔵機関：市立函館図書館　　　　　　　　　請求番号：00240-588-7005
　　　　　　　　　　　　　　　　　　　　　通し番号：02438

解説：本図には「嘉永七甲寅四月、松前箱館湊江亜墨利加合衆国ヨリ蒸気船二艘並軍艦三艘、
　　　同月十五日ヨリ廿一日迄入津之図」と記載され、ペリーが箱館に入港した際の地図であ
　　　る。港湾には黒い煙をはく蒸気船と軍艦が停泊し、海岸から艦までの距離を記している。
　　　小図であるが、歴史的な箱館図といえる。

039 亜人箱館近海測量図　　　53cm × 74cm

分類：日本図・地方図（蝦夷）　　　　　　　形態・員数：写、折図、1枚
年代：1856（安政3）年
所蔵機関：市立函館図書館　　　　　　　　　請求番号：002901-1167-3001
　　　　　　　　　　　　　　　　　　　　　通し番号：02439

解説：本図の右下欄外に「安政三辰年、筥館江入津亜墨利加ウ井ンセンス（船名）コモトー
　　　ル官乗船、右船ニテ測量之図由、同四巳八月入津同国軍艦ポーツモート持参ノヨシ右写」
　　　また「上山主写」とあり、この図の来歴が判明する。すなわち、安政3年、アメリカ
　　　船によって、測量・作成された津軽海峡図である。蝦夷地は松前付近から恵山岬まで、
　　　陸奥側は津軽・下北両半島の先端を描写し、図の周囲には経緯度数も記入される。「上山」
　　　とは南部藩の表目付であった上山半右衛門であろうか。同図は南部藩旧蔵書（もりおか
　　　歴史文化館所蔵）にもある。

040 箱館之図　　　110cm × 79cm

分類：日本図・地方図（蝦夷）　　　　　　　形態・員数：写、折図、1枚
年代：1850年代
所蔵機関：市立函館図書館　　　　　　　　　請求番号：002901-1013-5001
　　　　　　　　　　　　　　　　　　　　　通し番号：02440

解説：本稿034番と同じ構図をもち、箱館山を中心に西は当別村から東は大森浜付近まで
　　　を図したもの。港には外国船が停泊し、ヲダイバ（弁天台場）、御城地（五稜郭）、新長
　　　屋（同心長屋）が見えるので開港以後の図である。

041 箱館真景絵図

分類：日本図・地方図（蝦夷）　　　　　　　　　　形態・員数：写、折図、1枚
年代：1862（文久2）年
所蔵機関：市立函館図書館　　　　　　　　　　　　請求番号：002901-1282-6001
　　　　　　　　　　　　　　　　　　　　　　　　通し番号：02441

解説：嘉永7年3月、日米和親条約が締結され、下田・箱館の開港が決定した。以降、幕
　　　府はイギリス・オランダ・ロシア・フランスとも次々と条約を結び、箱館は一躍、国際
　　　都市の仲間入りとなる。本図はその当時の地図である。「箱館山鳥瞰図」であるが、低
　　　地の市街地も表現される。山腹に御奉行屋敷があって、その坂下に運上所が見える。ま
　　　た、アメリカ・イギリス・ヲロシアの領事館の他に、ヲロシヤビヨウインがあり、異人
　　　舎の文字も見える。低地にはフランス領事館や異国橋があり、弁天岬には弁天崎御台場
　　　もある。亀田に五稜郭の城も描かれているが、まだ築城中であろう。本図は函館出身の
　　　考古学者・馬場脩氏の旧蔵書である。

042 亜国人屋舗并会所之図　　　40cm × 83cm

分類：日本図・地方図（蝦夷）　　　　　　　　　　形態・員数：写、折図、1枚
年代：1858（安政5）年
所蔵機関：市立函館図書館　　　　　　　　　　　　請求番号：002901-1008-4001
　　　　　　　　　　　　　　　　　　　　　　　　通し番号：02442

解説：箱館開港後に亀田（現在の函館市亀田）に設置された交易会所の敷地と、アメリカ人
　　　住居のための敷地を描写した図である。

043 五稜郭同心長屋地并鍛治村地図

分類：日本図・地方図（蝦夷）　　　　　　　　　　形態・員数：写、折図、1枚
年代：1860年代
所蔵機関：市立函館図書館　　　　　　　　　　　　請求番号：002901-1187-5001
　　　　　　　　　　　　　　　　　　　　　　　　通し番号：02443

解説：幕府は箱館開港が決定した後、防衛のために、安政3年11月から砲台（弁天岬台場）
　　　を、翌4年7月から役所（五稜郭）の工事を開始した。五稜郭は元治元年4月に竣工し、
　　　北側の役宅工事は万延元年3月から着工されて、同年11月に完成した。本図はその時
　　　の計画図であろう。役宅周辺は当時、鍛治村（現在の函館市鍛治）といい、五稜郭の完
　　　成後に開けていった地である。

044 THE HARBOR of HAKODADI

分類：日本図・地方図（蝦夷）　　　　　　　　　　形態・員数：石版、折図、1枚
年代：1856（安政3）年
所蔵機関：市立函館図書館　　　　　　　　　　　　請求番号：00240-588-6006
　　　　　　　　　　　　　　　　　　　　　　　　通し番号：02444

解説：ペリーの『日本遠征記』（ワシントンで発行）に折り込まれた付図の1枚である。箱
　　　館山から西側に大きく円弧を描く港湾を図したもので、図中に「1854」と西暦が記入
　　　されているから、ペリーが箱館に入港した嘉永7年4月から5月にかけて、艦船が実
　　　測したデータに基づいて作成されたものであろう。湾内にはびっしりと水深の数値が記
　　　入されている。ペリーは『日本遠征記』の中で、箱館を「世界中で最もすばらしい港の
　　　一つである。この広々として美しい湾」と絶賛している。

045 HAKODADI HARBOUR　　68cm × 50cm

分類：日本図・地方図（蝦夷）　　　　　　　　　　形態・員数：銅版、折図、1枚
年代：1859（安政6）年
所蔵機関：市立函館図書館　　　　　　　　　　　　請求番号：002901-1680-5001
　　　　　　　　　　　　　　　　　　　　　　　　通し番号：02445

解説：安政6年にイギリス海軍で発行したもので、本稿044番のペリー『日本遠征記』付
　　　図とほとんど同じである。

046 渡嶋国箱館港之図　　39cm × 30cm

分類：日本図・地方図（蝦夷）　　　　　　　　　　形態・員数：銅版、折図、1枚
年代：1880年代
所蔵機関：市立函館図書館　　　　　　　　　　　　請求番号：別置
　　　　　　　　　　　　　　　　　　　　　　　　通し番号：02446

解説：刊記はないが、明治10年代の印刷であろうか。海軍省水路局の発行と推測される。
　　　本稿044番と比較してみると、同じ構成であるが、描写の範囲は狭い。ペリー『日本
　　　遠征記』付図などを参照し、作成されたものであろう。

047 箱館全図　　73cm × 78cm

分類：日本図・地方図（蝦夷）　　　　　　　　　　形態・員数：木版、折図、1枚
年代：1855（安政2）年
所蔵機関：市立函館図書館　　　　　　　　　　　　請求番号：002901-1279-5001
　　　　　　　　　　　　　　　　　　　　　　　　通し番号：02447

解説：図中に「安政二乙卯歳八月校正蔵梓、春樹堂」と刊記があり、安政2年3月、箱館
　　　が正式に開港し、8月に江戸の版元・春樹堂から発行された木版による箱館図の第1号
　　　である。写図にも多く見られた箱館山を中心として、周辺の地域と対岸の一部を描写し

た構図で、粗略の感は免れない。良図を得ないまま、慌ただしく発行したものであろうか。松前より箱館までの簡単な里程表を載せる。

・・

048 官許箱館全図　　　64cm × 79cm

分類：日本図・地方図（蝦夷）

年代：1860（万延元）年

形態・員数：木版、折図、1枚

所蔵機関：国立公文書館　　　　　　　　　　　　　　　　請求番号：178-134

通し番号：02448

解説：凡例の終わりに「万延元庚申晩稚・函府・英菴山碕雄謹誌」と記すが、山碕英菴については知るところがない。三つの図から成り、第1図は本稿047番と同じ構図であるが、比較にならない精図である。第2図は市街平面図で「弁天岬御台場」がくっきりと見える。第3図は箱館山の鳥瞰図である。

・・

049 箱館真景　　　36cm × 74cm

分類：日本図・地方図（蝦夷）　　　　　　　　形態・員数：木版、大錦、3枚続

年代：1868（慶応4）年

所蔵機関：市立函館図書館　　　　　　　　　　　請求番号：00026-602-8001

通し番号：02449

解説：錦絵に描かれた、港湾に浮かぶ箱館山鳥瞰図である。袋に、「慶応四新板・箱館真景図・東都・明細堂板」と記される。山麓に焼酎ザ、カミザ（紙座）、セトザ（瀬戸座）があり、フランス・ヲロシヤ・イギリス・アメリカの文字もある。ヲダイバ（弁天砲台）、御陵郭御城（五稜郭）などの他、遠くに福山御城（松前城）も見える。

・・

050 新刻箱館全図　　　67cm × 97cm

分類：日本図・地方図（蝦夷）　　　　　　　　形態・員数：木版、折図、1枚

筆者：橋本玉蘭斎　　　　　　　　　　　　　　年代：1868（明治元）年

所蔵機関：市立函館図書館　　　　　　　　　請求番号：002901-1021-6001

通し番号：02450

解説：刊記に「明治元戊辰十一月官准・橋本玉蘭斎図・東京書林・文苑閣・播磨屋喜右衛門発兌」とある。橋本玉蘭斎は五雲亭貞秀ともいい、横浜浮世絵で知られた浮世絵師である。文苑閣播磨屋は江戸の版元で、蝦夷地関係書の出版で有名である。本図もやはり三つの図から成り、最初の大きな市街図には、「箱館府」の文字が目につく。次の図は箱館山略図で、三番目は「南部北郡従箱舘眺望全図」と題する鳥瞰図的な風景画である。

・・

051 江指図

分類：日本図・地方図（蝦夷）　　　　　　　　形態・員数：写、折図、1枚

年代：1850年代

所蔵機関：国立公文書館　　　　　　　　　　　　請求番号：178-133
　　　　　　　　　　　　　　　　　　　　　　　　通し番号：02451

解説：江戸時代、江差は松前・箱館と共に"蝦夷地の三湊"と言われ、海産物や木材の集散
　　地であり、北前船で大いに賑わいを見せたところである。江差図は松前図や箱館図に比
　　較して、現存は少なく、本図は貴重なものである。海側から陸地を見た図で、道路の
　　様子がよく分かり、町名の他に寺社名も記されている。「姥神町・家数四十九軒・土蔵
　　四十一軒・板蔵五十三軒」などと、11個所に記載があり、別に「津軽家・津花町浜通・
　　大筒備場」など、5個所に大筒備場がある。現在のかもめ島には弁天社と恵比寿宮が見
　　え、カメノコ石が大きく描かれるのが目をひく。

052 延叙歴検真図　上帙

分類：日本図・地方図（蝦夷）　　　　　　　　　形態・員数：4冊
筆者：目賀田守蔭　　　　　　　　　　　　　　　年代：1859（安政6）年
所蔵機関：市立函館図書館　　　　　　　　　　　請求番号：0008-61368-6001
　　　　　　　　　　　　　　　　　　　　　　　　通し番号：02452〜02472

解説：箱館〜松前〜熊石〜クトウ〜フルビラ〜ヨイチ〜バッカイヒ。

053 延叙歴検真図　中帙

分類：日本図・地方図（蝦夷）　　　　　　　　　形態・員数：4冊
筆者：目賀田守蔭　　　　　　　　　　　　　　　年代：1859（安政6）年
所蔵機関：市立函館図書館　　　　　　　　　　　請求番号：0008-61368-6002
　　　　　　　　　　　　　　　　　　　　　　　　通し番号：02473〜02499

解説：箱館〜ヲシヤマンベ〜レフンケ峠〜ホロイヅミ〜シベツ〜ソウヤ〜シヤリ。

054 北延叙歴検真図　下帙

分類：日本図・地方図（蝦夷）　　　　　　　　　形態・員数：写、冊子、4冊
筆者：目賀田守蔭　　　　　　　　　　　　　　　年代：1859（安政6）年
所蔵機関：市立函館図書館　　　　　　　　　　　請求番号：0008-61368-6003
　　　　　　　　　　　　　　　　　　　　　　　　通し番号：02500〜02530

解説：安政3年から同5年にかけて、目賀田守蔭、榊原鉎蔵、市川十郎、脇屋省輔等は幕
　　命によって、蝦夷地およびカラフト島の地図・地誌取調べを実施した。本書はその時の
　　目賀田守蔭の著作である。上帙4冊は箱館から西蝦夷地経由の宗谷まで、中帙4冊は
　　箱館から東蝦夷地を経由して宗谷まで、下帙4冊はカラフト島のシラヌシから西海岸
　　経由のノテトまで、全291図におよぶ風景画である。同書は東京大学総合図書館、東
　　洋文庫（東京都）にも所蔵される。その稿本6冊は国立公文書館に所蔵され、明治4
　　年に新たな風景画として作成された『北海道歴検図』全28帳は、北海道大学附属図書
　　館北方資料室に所蔵される。

— 61 —

055 津軽領並蝦夷沿海名勝図

分類：日本図・地方図（蝦夷）　　　　　　　　　　形態・員数：写、巻子本、1巻
年代：1850年代
所蔵機関：市立函館図書館　　　　　　　　　　　　請求番号：別置
　　　　　　　　　　　　　　　　　　　　　　　　通し番号：02531 ～ 02535

解説：津軽の三厩、岩木山から始まって、東蝦夷地は箱館、レブンゲ峠、ホロイツミ会所、
　　　ゼンポウシ番屋、ネモロ会所など、西蝦夷地は塩吹村、セタナイ運上家、ライデン岬、
　　　ヨイチ運上家、リイシリ、ソヲヤ運上家など、23図程を載せる。

056 西蝦夷図巻

分類：日本図・地方図（蝦夷）　　　　　　　　　　形態・員数：写、折本、2帳
年代：1850年代
所蔵機関：市立函館図書館　　　　　　　　　　請求番号：002901-0420-5001
　　　　　　　　　　　　　　　　　　　　　　　　通し番号：02536 ～ 02544

解説：「西蝦夷図巻」の題名をもつが、実際は東西蝦夷地の風景画である。東蝦夷地は、筥舘湊、
　　　沙原カヤベ、ウス山之図、千歳、シヤマニ会所、サルヽ峠など、西蝦夷地はツイシカリ
　　　番屋、石狩真景、ヲタスツ、ヲシヨロ運上屋、雷電越など、20図から成る。そのほか、
　　　植物図やアイヌ風俗画もある。作成は安政2年以降と思われる。

057 東蝦夷地廻浦略絵図

分類：日本図・地方図（蝦夷）　　　　　　　　　　形態・員数：写、折本、1帳
年代：1830年代
所蔵機関：市立函館図書館　　　　　　　　　　請求番号：002901-0004-6001
　　　　　　　　　　　　　　　　　　　　　　　　通し番号：02545 ～ 02547

解説：ノツシヤフ岬（現在の根室市）からヤムクシナイ（現在の八雲町山越）までの連続風
　　　景画で、全体の描写や地名の記載からみて、文化4年に秦檍丸が作成した『東蝦夷地屏風』
　　　（市立函館図書館所蔵）を基にして描いた図と推定される。とくに大きな岬などの描写
　　　はぴったり一致する。しかし、やや粗略な図である。

058 東蝦夷廻浦図絵

分類：日本図・地方図（蝦夷）　　　　　　　　　　形態・員数：写、折本、3帳
年代：1840年代
所蔵機関：市立函館図書館　　　　　　　　　　請求番号：002901-0030-6001
　　　　　　　　　　　　　　　　　　　　　　　　通し番号：02548 ～ 02559

解説：ヒロウ（現在の広尾町）からモリ（現在の森町）まで精密に描写された連続風景画である。
　　　湾や岬の出入りが小さく、ほぼ直線的な沿岸線をもち、地名は細かく記入されている。

059 東蝦夷地海岸図台帳

分類：日本図・地方図（蝦夷）　　　　　　**形態・員数**：写、冊子、1冊
筆者：長沢盛至　　　　　　　　　　　　　**年代**：1856（安政3）年
所蔵機関：市立函館図書館　　　　　　　　**請求番号**：002901-0412-6001
　　　　　　　　　　　　　　　　　　　　　　通し番号：02560〜02576

解説：安政2年3月、幕府より蝦夷地警備を命じられた南部藩は、同年5月から7月までの2ケ月間、藩士を派遣して、警備地である箱館から幌別（現在の登別市幌別町）までを調査した。本書は、この時随行した藩士・長沢盛至が著したもので、上部には主な地域の家数・人口・産物・その他の様子を詳記し、下部には連続風景画として、幌別付近のフシコベツより銭亀沢（現在の函館市銭亀町）までを描写している。同書は南部藩旧蔵書（もりおか歴史文化館所蔵）にも所蔵される。

060 自高島至斜里沿岸二十三図

分類：日本図・地方図（蝦夷）　　　　　　**形態・員数**：写、折本、1帳
筆者：谷口青山　　　　　　　　　　　　　**年代**：1798（寛政10）年
所蔵機関：市立函館図書館　　　　　　　　**請求番号**：002901-0020-9001
　　　　　　　　　　　　　　　　　　　　　　通し番号：02577〜02588

解説：寛政10年、幕府は目付・渡辺久蔵、使番・大河内善兵衛、勘定吟味役・三橋藤右衛門等を蝦夷地に派遣して、各地を視察させた。本図はその時のものと言われる。西蝦夷地のタカシマから始まり、石狩、浜マシケなどを経てソウヤに至り、そこからオホーツク沿岸に出て、サルブツ、ヱサシ、モンベツ、アバシリなどを過ぎ、シャリに至るまでを描いた風景画23図である。着彩と無彩の図が混じっていて、各図ごとに里程やその地の様子を記している。

061 松前西蝦夷海岸之図

分類：日本図・地方図（蝦夷）　　　　　　**形態・員数**：写、巻子本、3巻
所蔵機関：国立公文書館　　　　　　　　　**請求番号**：178-684
　　　　　　　　　　　　　　　　　　　　　　通し番号：02589〜02622

解説：白神崎から松前、江差、熊石を経て西海岸を北上し、石狩川、マシケ、トママイからソウヤ勤番所までの連続風景画である。全巻にわたって精密な描写で、各地にある運上屋が目をひく。ところどころに短いながら説明も記載されている。

062 西蝦夷地廻浦見取絵図

分類：日本図・地方図（蝦夷）　　　　　　**形態・員数**：写、折本、2帳
所蔵機関：市立函館図書館　　　　　　　　**請求番号**：002901-0420-5001
　　　　　　　　　　　　　　　　　　　　　　通し番号：02623〜02642

解説：1帳目は松前から岩内までを描写し、2帳目はフルウ（現在の神恵内村）からソウヤ

までを描写した連続風景画である。運上屋、番屋、鯡取小屋、仮小屋などのほか、里程もあり、航路も引かれている。

063 西蝦夷沿岸見取図

分類：日本図・地方図（蝦夷）　　　　　　　形態・員数：写、折本、2帳
年代：1850年代
所蔵機関：市立函館図書館　　　　　　　　　請求番号：002901-0021-7001
　　　　　　　　　　　　　　　　　　　　　通し番号：02643〜02649

解説：1帳目はサツマイ（現在の松前町札前）から江差を経て北上し宗谷に至るまでの連続風景画で、2帳目もネブタ村（現在の松前町館浜）から宗谷までを連続描写した風景画である。すなわち、2帳共に同じ範囲を描いているが、2帳は同筆ではなく、それぞれ異筆である。

064 西蝦夷地道中見取図

分類：日本図・地方図（蝦夷）　　　　　　　形態・員数：写、冊子、1冊
年代：1850年代
所蔵機関：市立函館図書館　　　　　　　　　請求番号：00290-420-3001
　　　　　　　　　　　　　　　　　　　　　通し番号：02650〜02658

解説：西海岸の岩内運上家から北上して宗谷に至る、見開き49図から成る小型の冊子である。運上家、漁番家、通行番家、昼休番家、小休所などが数多く描かれている。シユカンヘツ（現在の増毛町暑寒町）付近と宗谷に「秋田陣営」と記載があるのは、安政2年以降の秋田藩の警備を示すものであろう。

065 西蝦夷図誌

分類：日本図・地方図（蝦夷）　　　　　　　形態・員数：写、巻子本、1巻
筆者：青木正好　　　　　　　　　　　　　　年代：1863（文久3）年
所蔵機関：市立函館図書館　　　　　　　　　請求番号：別置
　　　　　　　　　　　　　　　　　　　　　通し番号：02659〜02669

解説：西蝦夷地沿岸の眺望図や遠望図など21図からなる巻物である。従来の風景画と異なり、特徴ある風景を選んで描写しているように見える。図中の「シマコマキ領・セタナイ領新道境堺之図」に、「安政四丁巳年五月、江差甚右衛門、庄兵衛切開新道」とあるのは、江差の商人・鈴鹿甚右衛門と津軽の長坂庄兵衛の請け負った狩場山道工事を指す。巻末に「文久三癸契亥仲春、青木源正好図之」と記載される。

066 北海道浦々眺望図絵

分類：日本図・地方図（蝦夷）　　　　　　　形態・員数：写、折本、1帳
筆者：松本十郎　　　　　　　　　　　　　　年代：1880年代
所蔵機関：市立函館図書館　　　　　　　　　請求番号：002901-0636-6005

通し番号：02670 ～ 02676

解説：後志、石狩、天塩、北見、国後、根室、釧路、十勝にわたる各地の風景画 24 図である。松本十郎は出羽国庄内の出身で、明治になって開拓使の開拓判官として、根室や札幌で勤務した。同 9 年、札幌勤務中に奥地視察として石狩川を溯り上川に出て、さらに山越えして十勝に至っている。したがって本帳は明治 10 年代の作成と推定される。北海道庁所蔵本を昭和 10 年 11 月に模写したものである。

067 蝦夷地并魯西亜山丹満州地形絵図　　96cm × 97cm

分類：日本図・地方図（蝦夷）　　　　　　　　　　形態・員数：写、折図、1 枚
年代：1832（天保 3）年
所蔵機関：国立公文書館　　　　　　　　　　　　　　請求番号：178-140
　　　　　　　　　　　　　　　　　　　　　　　　　通し番号：02677 ～ 02680

解説：老中・田沼意次の命令によって天明 5 年から開始された蝦夷地の調査は、幕府による最初の試みで、翌 6 年、田沼の失脚により成果を十分あげないうちに中止された。しかし、これをきっかけに、以後、幕府の蝦夷地調査は次々と実施されることになる。本図は、その天明調査隊によって作成され、それまでの蝦夷図を一新する画期的な内容となった。それは、蝦夷地の輪郭が初めてそれと分かる見事なものであること、千島列島が初めて一列に並び、島々の形が正確さを増したことである。しかし、カラフト島は伝聞を基に描写されたらしく、離島ではあるが、蝦夷地とほぼ同大の菱形に表現されている。表紙に「天保三辰年八月、石川左近将監より借写」と記す。

068 古蝦夷全図　　118cm × 163cm

分類：日本図・地方図（蝦夷）　　　　　　　　　　形態・員数：写、折図、1 枚
所蔵機関：国立公文書館　　　　　　　　　　　　　　請求番号：178-137
　　　　　　　　　　　　　　　　　　　　　　　　　通し番号：02681 ～ 02684

解説：最上徳内は出羽国楯岡（現在の山形県村山市）の出身で、江戸に出て、本多利明などに数学・暦学などを学び、天明 5 年、本多の推薦により蝦夷地調査隊の一員として参加した。以後、10 数年間に及ぶ蝦夷地、クナシリ島、エトロフ島、カラフト島の探検調査によって、蝦夷地に関する第一人者と言われた人物である。本図は徳内の著作として最も有名な『蝦夷草紙』の付図 5 枚の内の 1 枚である。図中には「経緯度数之弁」と題する説明文があり、最後に、「寛政二年庚戌季秋下弦、本田三郎右衛門利明撰」と記す。蝦夷地の地形はやや扁平ではあるが、正確になりつつある蝦夷地の姿をよく表現している。

第 XVIII 巻　千島・樺太・蝦夷 [3]
A袋

001　松前蝦夷図　　　157.0cm × 104.2cm

所蔵機関：大東急記念文庫　　　　　　　　　　　　　請求番号：52-15-2566

解説：江戸幕府は、慶長・正保・元禄・天保の4度にわたって全国の諸藩に命じて国絵図を作成させた。北辺の小藩である松前藩にも、正保以降の3度、作成命令が出されたのが記録に残っている。本図は、元禄10年から作成が行なわれた「元禄国絵図」のなかの松前藩「松前島絵図」の系統をひく「国絵図系蝦夷図」である。内陸には山や樹木を写生風に描き、凡例として「蝦夷在所、鳥屋在所、村在所」の3つがある。裏面に「享保三歳会 戊戌臘月下瀚、土州産井戸権左衛門長義粧写焉」と記される。享保3（1718）年の写しであり、井戸長義は土佐藩の重臣であろう。

002　蝦夷国古写図　　　152.0cm × 96.0cm

所蔵機関：北海道大学附属図書館　　　　　　　　　　請求番号：図類624

解説：本図も「元禄国絵図」の「松前島絵図」系統の「国絵図系蝦夷図」である。書き入れ文として「是ヨリ東浜通、馬足相叶不申候」、「是ヨリ石狩迄廿五里程、蝦夷往来道但此間ニ野川有リ」などと記している。凡例は001図と同様に記載される。また「文化五戊辰二月上旬、蘭山模写」とあり、文化5（1808）年に、戯作者の高井蘭山が写した図と思われる。蘭山には『蝦夷国私説』（文化4年編）という編著もある。

003　夷松前之図　　　156.5cm × 107.2cm

所蔵機関：徳川林政史研究所　　　　　　　　　　　　請求番号：129-58-38

解説：「元禄国絵図」の「松前島絵図」系統の「国絵図系蝦夷図」である。「松前へ渡海した呉服商へ〈夷一円之図〉を所持していないか尋ねたところ、所有の図を写して差し出す」旨の文章が載り、延享元（1744）年の写図である。図のなかに「海上里数」も記載されている。当時、商人が松前城下で「国絵図系蝦夷図」を入手したことが判明する。前図と比較して、陸奥の地形がやや正確となっている。

004　蝦夷図　　　154.0cm × 99.0cm

所蔵機関：三井文庫　　　　　　　　　　　　　　　　請求番号：島別149

解説：「元禄国絵図」の「松前島絵図」系統の「国絵図系蝦夷図」である。「海上里数」を記載している。003図と同様の図である。

005　蝦夷之図　154.2cm × 100.8cm

所蔵機関：三井文庫　　　　　　　　　　　　　　　　請求番号：島別146

解説：「元禄国絵図」の「松前島絵図」系統の「国絵図系蝦夷図」である。「海上里数」を掲載し、003図と同様の図である。

006　松前蝦夷之図　　203.3cm × 93.0cm

所蔵機関：弘前市立弘前図書館「伊東家文書」　　　　　　　　請求番号：KF290.3-17

解説：寛政年間（1789〜1800）以降になって、主として津軽地方で作成されたと推測される図形である。沿岸各所に異常なほど多くの岬が多数突き出ているのがこの系統図の特色である。書き入れも多く、「此辺寛政元年夷狄騒擾ス、人多殺害ス」、「子モロヘ寛政四年ヲロシア人来リシトキ往返船カヘリセリ」などと記している。「寛政十一己未年春二月、松前函館於鎮台図之、伊東祐綏。㊞」と記載がある。寛政11（1799）年の写図である。

007　松前之図　　80.8cm × 132.7cm

所蔵機関：もりおか歴史文化館「南部家蔵書」　　　　　　　　請求番号：史 35-5-048

解説：寛文9（1669）年から同12年にかけて、和人とアイヌ民族との間に大規模な闘争が起こった。これは「シャクシャインの蜂起」または「寛文蝦夷蜂起」などと称されている。この時、幕命によって津軽、南部、秋田の3藩に松前藩の救援をさせることにしたが、南部、秋田の2藩は渡海せずに終わった。本図は南部藩主旧蔵書のなかにあり、この蜂起に関する最も古い蝦夷図の1枚である。西から東にかけて大きな湾状の石狩川をもつ半島状の陸地が蝦夷地である。東海岸にそって松前から「亀田・くんぬい・しらおい・むかわ・うんへち・くすり・あつけし」などの地名が列記されている。またアイヌのリーダーであった「鬼菱・しゃむしゃいん」の名も見える。北東に「らっこ嶋」があり、これは千島列島のウルップ島のことである。「田名部より上申松前絵図、寛文十一年七月廿八日」と記載されている。

008　松前狄之図　　100.8cm × 78.7cm

所蔵機関：宮城県図書館　　　　　　　　　　　　　　　　　請求番号：M291-マ1

解説：007図と同様に「シャクシャインの蜂起」に関わる蝦夷図であるが、007図と異なり、半島状の陸地が南側に大きく傾く図形に変更されている。また、東北地方北部が大きく表現されているが、この系統図では珍しい図形である。西側に「唐戸嶋」（カラフト島）が描かれ、その北側には「らっこ嶋」が見え「松前より六十日路」と記す。

009　松前狄之図　　41.2cm × 58.0cm

所蔵機関：宮城県図書館　　　　　　　　　　　　　　　　　請求番号：M291-マ1-2

解説：本図も「シャクシャインの蜂起」に関わる蝦夷図で、津軽地方の下北半島が大きく描かれている。「石苅川（石狩川）広サ四百間程、舟路此間三日路」とある。この蜂起の主要な人物である「鬼飛師（オニビシ）・沙武者院（シャムシャイン）」の名も書かれている。

010 松前西蝦夷絵図　60.0cm × 88.3cm

所蔵機関：市立米沢図書館「林泉文庫」　　　　　　　　　　　請求番号：**R045.1-Ma**

解説：「シャクシャインの蜂起」に関わる蝦夷図であり、009図に似るが、大きく異なる部分が多い。それは「からと嶋」の西側に大きく「韃靼国」が現われていること、「らっこ嶋」が「小人嶋とも云う」と架空の島に見立てられていること、津軽の「外戸ノ浜」が大きく突き出していることである。

011 蝦夷図　151.2cm × 80.3cm

所蔵機関：致道博物館

解説：「シャクシャインの蜂起」に関わる蝦夷図であるが、前図とは異なり、北から南へ真っ直ぐ棒状にのびる半島図である。このような図は本図以外には知られていない。南端近くに内浦湾があり、西側の北部に見える石狩川は、陸地の中央を南に流れて「しこつの沼」に達している。東側の沿岸に「亀田・ゑとも・とかつ・くすり・あつけ石」などがあり、西側の沿岸には「上之国・すつゝ・てしほ・そうや」などが見える。離島として「小嶋・大嶋・おくしり嶋・るいしん嶋（現利尻島）」などが見えるが、千島の島々やカラフト島は描かれていない。

012 蝦夷図　102.5cm × 102.0cm

所蔵機関：北海道大学附属図書館北方資料室　　　　　　　　　　請求番号：図類 **622**

解説：蝦夷地は古くから「蝦夷ケ千島・千島のえぞ」などと呼称されたことが記録に見える。それは蝦夷地周辺が多数の島々からなると考えられたからであろう。それを図化したような図である。中央の島々の集合体が蝦夷地本島で、「石かり川・てしほ川」があり、地名は「原口・上国・おとへ」などがある。北側には「らせうわ・らつこく嶋」が見え、千島列島を指す。東の海には「はたかしま・大こく嶋・いんす嶋」など、架空の島々が描かれている。

013 松前蝦夷地絵図　113.0cm × 96.0cm

所蔵機関：北海道大学附属図書館北方資料室　　　　　　　　　　請求番号：図類 **647**

解説：北から南へ大きな半島状の蝦夷図で、同様の地図は他に知られていない。東は「白いと」（知床）まで、西は「てしほ」（天塩）までの地名が記載される。西から「石かり川」が流れ、北部から大川（天塩川か）と合流して「水海」となる。西側の海には「小嶋・大嶋・るいしん嶋（現利尻島）・唐戸嶋・ラッコ嶋」は分かるが、「ちやうれい嶋」は不明であり、「コラフト嶋」はカラフト島であろう。

014 松前夷人嶋絵図　61.0cm × 79.0cm

所蔵機関：北海道大学附属図書館北方資料室　　　　　　　　　　請求番号：**軸物 66**

解説：これも半島図で、013と同様にほかに所蔵を聞かない図である。半島の中央部に沿っ

— 68 —

て朱線を引いて東西蝦夷地に分け、それぞれに地名を記載している。本図の大きな特色として、29か所に松前藩重臣名とその知行地を明記することがある。知行地とはアイヌ交易のための「商場」として家臣に与えた地域であり、これが後に「場所請負制度」に代わっていく。寛政元（1789）年の写しで、作成はもっと古い時期であろう。

015　蝦夷古絵図　　　89.2cm × 150.7cm

所蔵機関：宮城県図書館　　　　　　　　　　　　請求番号：伊 217.09-2・M2-10

解説：東西に広がる大陸のように見える特異な図形の蝦夷図である。石狩川は西から内陸部の中央を横断して東側のシコツに流れ込んでいる。「箱館～百軒余。亀田～御番所、六七十軒。石カリ大川～西ノ方ニ運上屋アリ、鮭多シ、船出入自由。材木沢山ニシテ杣二三千人モ入」などと、豊富な記載がみられる。

016　蝦夷島全図　　　177.4cm × 111.0cm

所蔵機関：北海道大学附属図書館北方資料室　　　　　　　　請求番号：軸物 28

解説：飛騨国下呂郷（現岐阜県下呂市）出身の飛騨屋武川久兵衛の旧蔵図である。飛騨屋は元禄 15（1702）年、蝦夷地へ進出し、享保 4（1719）年から木材伐採を請負った。その後、安永 2（1773）年から蝦夷地各所の場所請負人となったが、寛政元（1789）年、クナシリ・メナシの蜂起が起こり、責任を問われ、蝦夷地から撤廃した。作成年代は不詳で、「亀田番所・熊石番所」の記載がある。千島はクナシリの周囲に島々が見え、東側に「唐太地」がある。原図は岐阜県歴史資料館「飛騨屋久兵衛家文書」にあり、ここに揚げる図は模写である。

017　蝦夷松前津軽南部沿岸之図　　　133.3cm × 111.0cm

所蔵機関：弘前市立弘前図書館「岩見文庫」　　　　　　　請求番号：GK290.3-19

解説：古い図形をもつ蝦夷図で、津軽海峡（江戸期にはこの名称はない）で難所と言われた「白神の潮・中の潮・竜飛の潮」の 3 潮流を描写している。松前城下では城の絵を描き、江指（江差）には「番所」、亀田には「此所昆布船積」とある。また、そうや（宗谷）には「松前殿商売所」と記載する。西側には小嶋・大嶋・奥尻嶋・てうれ・りいしり・れふんしり嶋があり、東側には、らつこ嶋・くなしり嶋の次に、架空の「女嶋」も見える。

018　松前蝦夷絵図　　　76.8cm × 78.5cm

所蔵機関：千秋文庫博物館　　　　　　　　　　　　　　　請求番号：NO18

解説：秋田藩主旧蔵図である。蝦夷地の図形は 017 図と同様である。図中に「和人地 50 里の間には村数 60 余、民家 5 千余の和人が住む」という意味の文言がある他、西蝦夷地ソウヤまでの里程 320 里余、東蝦夷地アツケシまでの里程 300 里余と記している。西側の海には、実在の島々が描かれていると同時に、「奥カラフト」という架空島があり、東側の海にも、実在の島の他に、「銀嶋・女嶋」という架空島も見える。また、「北高麗」と記すのは、当時の山丹・満州地方を指すものである。

— 69 —

019　蝦夷地絵図　　　44.4cm × 61.2cm

所蔵機関：徳川林政史研究所　　　　　　　　　　　　　　　　　請求番号：32-197

解説：他に類をみない蝦夷図である。蝦夷地の東側半分はクスリ（現釧路市）、悪消（現厚岸町）
周辺を描写して、歯舞群島・色丹島付近を詳細に描いている。「ヒロタン」は現在の「色
丹島」であろうか。内陸部に2つの大川があり、1つはイシカリ川であるが、もう1つ
は不詳である。「松前」には、「仙台・南部・津軽・松前」が記されていて、これは文化
年間の東北諸藩と松前藩の蝦夷地警備を示している。

020　蝦夷千賀嶋之図　　55.8cm × 119.5cm

所蔵機関：市立米沢図書館「岩瀬家文書」　　　　　　　　　　　請求番号：704

解説：蝦夷地は特異な図形をもち、内陸部には9の沼が描写されている。東には歯舞群島・
色丹島の他に、クナシリ・エトロフの2島も見え、カラフト島の左右に「チカカラフト・
タライカ」という架空の島も描かれている。「文化四丁卯年六月写之」とあって、文化
4（1807）年年の写図である。類図は他に5、6点が知られている。

021　蝦夷之図　　　　　108.2cm × 80.7cm

所蔵機関：三井文庫　　　　　　　　　　　　　　　　　　　　　請求番号：C580-3

解説：古川古松軒は備中国新本村（現岡山県総社市）出身で、幕府老中・松平定信にも仕え
たことがある地理学者である。天明8（1788）年5月、幕府の巡検使に随行して、松
前に渡海し、1か月間、和人地へ滞在した。この時に、松前藩所有の蝦夷図を基にして
作成した図である。古松軒自筆図は函館市中央図書館に所蔵され、本図は、江戸帰着後、
再び作成したものである。署名と印があり、あるいは本図も自筆かもしれない。なお、
本図は幕府の若年寄・堀田正敦の旧蔵図でもある。周囲に書かれている記事は、松前渡
海の様子、鬼熊の出没、商船の往来、蝦夷錦の渡来、義経伝説などである。

022　蝦夷図　　　　　　115.1cm × 87.3cm

所蔵機関：徳川林政史研究所　　　　　　　　　　　　　　　　　請求番号：129-34

解説：本図も古川古松軒の蝦夷図であり、江戸帰着後に写した021図と同じ図であるが、
周囲の記事は少し改められている。古松軒は、江戸帰着後に、紀行文の執筆にかかり、
翌寛政元（1789）年、『東遊雑記』を著わして、東北・蝦夷地の様子を詳細に紹介して
いる。

023　蝦夷地図　　　　　90.5cm × 156.5cm

所蔵機関：東北大学附属図書館　　　　　　　　　　　　　　　　請求番号：狩3-9264-1

解説：蝦夷地の図形は、東西に異常に細長いが、岬や半島はそれらしくなってきつつある。
釧路周辺が詳細であり、歯舞群島・色丹島から千島列島も詳しく描写されるようになっ
た。一方、カラフト島周辺は依然として不明な部分があり、「マヘサンタン・ウシロサ

ンタン」が描かれ、さらに「ツフカタ・サハリイン」なる島も描かれている。この系統
図を仮に「掌覧図」と呼称したい。

024　東山道陸奥松前及方州掌覧之図　58.0cm × 74.0cm

所蔵機関：弘前市立弘前図書館　　　　　　　　　　　　　　請求番号：W291.1-9

解説：023 図と同じ「掌覧図」で、説明文の中に「寛政元年」（1789）の文字がある。蝦夷
　　地の産物を挙げるのが新しい試みであり、カラフト島のまわりに「マエサンタン・ウシ
　　カサンダン・ツブカタ」も見え、他に「韃靼属萬讓」（満州）、「牟須久波牟」（ロシヤ）
　　の文字も見える。

025　東山道陸奥松前及方州掌覧之図　55.7cm × 78.3cm

所蔵機関：八戸市立図書館　　　　　　　　　　　　　　請求番号：EZ-605（11-9-7）

解説：024 図と同様の「掌覧図」である。八戸藩旧蔵図である。

026　東山道陸奥松前及方州掌覧之図　40.5cm × 83.0cm

所蔵機関：弘前市立弘前図書館「伊東家文書」　　　　　　請求番号：KF290.3-10

解説：024 図と同様の「掌覧図」で、寛政 9（1797）年の写図である。

027　蝦夷地図　　82.4cm × 125.2cm

所蔵機関：宮城県図書館　　　　　　　　　　　　　　請求番号：KM390-フ 1

解説：024 図と同様の「掌覧図」で、文化 5（1808）年の仙台藩によるクナシリ島・エト
　　ロフ島の警備に関わった役職・人名を詳細に記載することが本図の特徴であり、この年
　　代になっても、このような図が使用されたことが判明する。

028　蝦夷嶋之図　　38.3cm × 57.4cm

所蔵機関：弘前市立弘前図書館「牧野家文書」　　　　　　請求番号：KE290.3-7

解説：「掌覧図」で、津軽藩士が持ち帰った図のように見受けられる。「マエサンタン・ウシ
　　ロサンタン・ツブカタ」などの架空の島々が描写されていないところが、新しい図と言
　　えようか。

029　松前蝦夷地之図　　138.0cm × 180.0cm

所蔵機関：東北大学附属図書館　　　　　　　　　　　　請求番号：狩 3-9300-1

解説：大型の蝦夷図であり、「寛政四年壬子年見分」と記されており、寛政 4（1792）年の
　　作成である。寛政 3 年から 4 年にかけて、幕府による御救交易が実施され、最上徳内、
　　田辺安蔵、中村小市郎、小林源之助等によって調査された時である。蝦夷地の図形は実
　　地とは程遠く、この時期にこのような図形であるのが不思議である。説明文は詳細であ
　　り、各地への方位を記し、夷人詞・サンタン詞・満州国言葉の単語と和訳を載せている。
　　稀覯図である。

030 松前渡海之絵図　　　172.0cm × 107.5cm

所蔵機関：千秋文庫博物館　　　　　　　　　　　　　　　　請求番号：NO11

解説：秋田藩主旧蔵図である。書き入れが多くあって、「大嶋〜寛政己年迄五十年余焼ルナリ。カラフト島（万仲国と記載）〜寛政丑年異国ヲロシヤ人来リ、松前江渡海之海辺写取ル。ノカマユ・子ムロ〜此処へ寛政七年四月中、ヲロシヤ人着岸アリ、同所越年」などと記している。よって、寛政7（1795）年以降の写図と推定されるが、珍しい図である。

031 日本遠近外国之全図　　　149.0cm × 116.5cm

所蔵機関：仙台市博物館

解説：天明2（1782）年に仙台の経世学者・林子平が作成した自筆図である。日本国を中心とした周辺を描く図で、大きな特色がある。1は、蝦夷地・カラフト島・千島列島の図形である。明らかに「元禄国絵図」「松前島絵図」系統の写しを基にしている。但し、カラフト島は大きく修正されている。2は、朝鮮から黒竜江方面に向かう沿岸線はなく、僅かに1本の曲線が引かれ、「ヲランカイノ地」と記されていること。3は、図中の日本国に経緯度線が引かれていることである。日本図のなかに経緯度線が引かれるようになるのは、宝暦4（1754）年頃からである。本図はさらに改訂され、天明6年になって、『三国通覧図説』の付図の1枚「三国通覧輿地路程全図」となって刊行を見ることになる。

032 蝦夷地并異国境絵図　　　87.3cm × 115.3cm

所蔵機関：徳川林政史研究所　　　　　　　　　　　　　　　請求番号：129-34

解説：幕府老中・田沼意次の政策によって計画実施されたものに、蝦夷地開発計画があった。天明5（1785）年4月、蝦夷地に到着した幕府調査隊は、東西の二手に分かれて、東はクナシリ島・エトロフ島、さらにウルップ島に達した。西は宗谷からカラフト島へ渡り、島の南部を調査した。しかし、調査は翌6年10月になって打ち切りとなった。この時の調査報告書というべき著作が『蝦夷拾遺』である。調査によって作成された図が本図である。日本国を中心として蝦夷地を含む北辺、さらに中国・朝鮮・黒竜江からカムチャッカまでの広範囲を描写している。図の大きな特色は、蝦夷地が現在の北海道を彷彿とされる図形であること、千島列島が初めて一直線に並んだことである。しかし、カラフト島は不正確な図形であった。

033 蝦夷図　　　96.7cm × 101.2cm

所蔵機関：京都大学附属図書館「室賀文庫」　　　　　　　　請求番号：YG21/5-34

解説：この図も天明調査隊による作成図である。蝦夷地を中心とした北辺に重点を置いた描写となっている。「所図至本蝦夷地クナシリ島エトロウ島ウルツフ島及ヒカラフト島之半者粗量天度正見地理而書之其他者使蝦夷人山丹人赤人ホ画或用土作地形建串論其地分境以書之不可敢足信用也、天明六丙午年御普請役」の文言がある。右下に和人地の拡大図も載る。同じ図は国立公文書館にも所蔵されている。

034　魯西亜国図　　　80.8cm × 93.7cm

所蔵機関：北海道大学附属図書館北方資料室　　　　　　　　　　請求番号：図類 1319

解説：寛政4（1792）年9月に根室へ入港したロシア使節・ラクスマン一行の持参した図と言われる「ロシア図」である。このとき、漂流民・大黒屋光太夫も帰国した。図は、ほぼ円形状で、西はベテルボル、モスクワから、東はアリューシャン、アラスカまでを描く。内陸部にはリウエナ川・エニセイ川・レナ川が描かれ、レナ川上流から下流にかけてと、ヲホツカから千島列島、カムサスカ周辺が詳細である。この図はラクスマン来航の際、諸用向を勤めた根室場所請負人・村山伝兵衛が所有していて、「村山」印がある。他に所蔵することを聞かない図である。

B袋

035　莫斯哥亜魯斉亜地理図　　　71.3cm × 80.0cm

所蔵機関：北海道大学附属図書館北方資料館　　　　　　　　　　請求番号：図類 662

解説：ロシアからの漂流民・大黒屋光太夫が深く関わった図と言われるものであり、034図が本図の作成に密接に関連すると言う。図の範囲は、西はロシア国からシベリアを経てカムチャツカ半島に至り、南はインド国から東南アジア、中国、朝鮮に至る。カラフト島から蝦夷地、千島列島、日本国も描写されている。とくにロシア国の地名が詳細である。蝦夷地の図形は天明8（1788）年作成になる古川古松軒蝦夷図の図形を採用したものと推定される。「伊勢白子船頭光太夫、水主儀吉持参」と書かれている。

036　万国一円図　　　72.0cm × 85.5cm

所蔵機関：弘前市立弘前図書館「伊東家文書」　　　　　　　　　請求番号：KF290.3-12

解説：035図と同様である。やはり、ロシア国の各所に詳細な記述がみられる他に、蝦夷地、日本、中国の記載も詳細である。

037　三国輿地図　　　79.0cm × 83.0cm

所蔵機関：三井文庫　　　　　　　　　　　　　　　　　　　　　請求番号：C430-2

解説：035図とほぼ同様であるが、ロシア国には朱点や朱線がなく、あっさりとした描写となっている。

038　日本対岸地図　　　110.0cm × 152.2cm

所蔵機関：秋田県立図書館　　　　　　　　　　　　　　　　　　請求番号：庵 189

解説：図中に「享和元辛酉年十二月、魯鈍斎利明誌」とあって、経世学者で地理学者でもあった本多利明が、享和元（1801）年に作成した日本周辺図である。利明には寛政8（1796）年にも同様の地図（茨城県立図書館所蔵）を作成しているので、本図はその改訂版と言える。図の範囲はロシア、中国、朝鮮に囲まれた日本周辺を描き、カラフト島は半島であり、

蝦夷地・日本も外国図を参照したと推定されるものである。図にはロシア文字も記載され、下部には経緯度に関する詳しい解説文が掲載されている。

039　松前地図　　　　　　84.2cm × 104.2cm

所蔵機関：北海道大学附属図書館北方資料室　　　　　　　　　　請求番号：図類645

解説：寛政3（1791）年頃、松前藩士で藩医でもあった加藤肩吾自筆の蝦夷図である。ここでいう「松前図」とは、松前市街図を指すのでなく、「松前藩所在の島、松前藩支配の土地」という意味で用いられている。肩吾は寛政4年のラクスマン来航、同8・9年のブロートン来航の時に、松前藩の応対役を勤めている。蝦夷地の図形は東西に扁平であるが、ほぼ整っていると見るべきであろう。図には各地への里程、東西の支配所として地名とその知行主名が載り、カラフト島の西海岸奥地から東海岸シレトコ岬までと、千島列島のうちウルップ以北の島々が、未調査として朱線・朱丸で示されている。

040　蝦夷地全図　　　　　　80.6cm × 108.5cm

所蔵機関：古河歴史博物館「鷹見家資料」　　　　　　　　　　請求番号：H402-1

解説：039図と同様の図形をもつ図で、下総国古河藩（現茨城県古河市）家老・鷹見泉石（忠常）が文化4（1807）年に写し、嘉永7（1854）年に追加記載したものである。039図にはない、数多くの書き入れ文が貴重である。泉石は家老という激務のなかにあって、幕政にも関わりながら、多数の北方図を写したことでも知られている。

041　蝦夷松前図　　　　　　78.5cm × 80.0cm

所蔵機関：三井文庫　　　　　　　　　　　　　　　　　　　　請求番号：C580-25

解説：039図と同様の図であるが、大きな特色として東蝦夷地のウラカワからシレトコ岬先端まで朱線を引くことである。これは寛政11（1799）年、東蝦夷地の一部を幕府が直轄地にしようとして定めた境界線であるが、松前藩からの要請によって、この境界は取りやめとなった。したがって、この図は直轄地最終決定前の様子を表している図なのである。各地への方位と里程が詳しく掲載され、凡例も記載されている。

042　蝦夷地図　　　　　　140.0cm × 96.0cm

所蔵機関：千秋文庫博物館　　　　　　　　　　　　　　　　　請求番号：NO15

解説：秋田藩主旧蔵図であり、039図と同様であるが、カラフト島の図形が従来と全く異なることであり、千島列島の各島々の図形も異なっている。これは従来の図形を他の資料に基づいて改訂したからであろう。蝦夷地に関する長文の説明が載る。

043　松前蝦夷一円図　　　　96.5cm × 97.5cm

所蔵機関：明治大学図書館「蘆田文庫」　　　　　　　　　　　請求番号：10-39

解説：039図と同様である。カラフト島北部の朱線、エトロフ島以北の朱丸は、039図を忠実に表現している。海上里数の一覧が載り、津軽地方が詳細であることが、本図の特徴である。

044　蝦夷測量図　　　　180.2cm × 149.8cm

所蔵機関：弘前市立弘前図書館　　　　　　　　　　　　　請求番号：**W291.1-19**

解説：近藤重蔵は幕府に勤め、寛政 10（1798）年以来、エトロフ島の開発に努め、文化 4（1807）
　　年には、西蝦夷地沿岸と内陸部を調査したことでも知られる。本図は重蔵の最初に作成
　　した蝦夷図である。図の識語によって享和 2（1802）年の作成であることが分かる。こ
　　の図には大型図と小型図の 2 種があり、ここに挙げる図は大型図である。蝦夷地の図形
　　は驚くほど正確であり、どんな資料に基づいて作成されたのか不詳である。カラフト島
　　は貼り紙を用いて半島と離島の両方を表したが、本図では貼り紙が失われている。貼り
　　紙をして半島と離島の両方の図を作成したのは、前年の享和元（1801）年にカラフト島
　　を調査した幕吏、中村小市郎と高橋次太夫である。重蔵はその図を利用したのである。

045　チンプカ諸島地図　92.5cm × 149.3cm

所蔵機関：弘前市立弘前図書館　　　　　　　　　　　　　請求番号：**W291.1-8**

解説：044 図と対になる千島列島図で、近藤重蔵の作成であり、ウルップ島以北からカムチャ
　　ツカ半島に至る。説明文によると、列島中のラショワ島に住む千島アイヌが列島の島々
　　を往来し、地形を詳しく記憶しているとの事から、米粒を以て島々の形状を作らせ、そ
　　れを紙に写し採って作成したとの事である。作成年は寛政 12（1800）年である。「チュ
　　プカ」とは千島アイヌ語で「東」という意味である。

046　蝦夷地図式　乾　　　92.5cm × 74.3cm

所蔵機関：国文学研究資料館「津軽家文書」　　　　　　　請求番号：**22B-1150**

解説：044 図と同じで小型図である。カラフト島北部に半島図の張り紙が付され、めくる
　　と離島が表れるように工夫されている。津軽藩主旧蔵である。

047　蝦夷地図式　坤　　　46.5cm × 74.5cm

所蔵機関：国文学研究資料館「津軽家文書」　　　　　　　請求番号：**22B-1151**

解説：045 図と同じで小型図である。津軽藩主旧蔵である。

048　蝦夷地絵図　　　　　79.0cm × 82.6cm

所蔵機関：三井文庫　　　　　　　　　　　　　　　　　　請求番号：**C580-4**

解説：この図も近藤重蔵の作成になる蝦夷図であり、作成年は記載されていないが、重蔵の
　　蝦夷地での動向や作成図の前後から、文化 2（1805）年頃の作成と推定される。長文
　　の説明文があって、最後に「近藤守重手写㊞㊞」とあり、さらに「堀田文庫」の蔵書印
　　もある。よってこの図は重蔵自筆と思われ、幕府の若年寄・堀田正敦に贈られたものと
　　推測できる。蝦夷地の図形は 044 図と変わらないが、図中に記載される数多くの書き
　　入れがあり、さらに蝦夷地の中心となる惣守護地として、石狩川上流の現旭川市付近に
　　定め、松前や箱館など 14 か所に陣屋・番屋を設置すべきとし、内陸部には計画すべき

道路線が縦横に引かれるなど、蝦夷地の「開拓計画図」とも言うべきものである。

‥‥‥

049　蝦夷地図　　　　149.0cm × 123.5cm

所蔵機関：国文学研究資料館「津軽家文書」　　　　　　　　　請求番号：22B-1069

解説：書物奉行に就任した近藤重蔵が、文化6（1809）年に作成した最後の蝦夷図である。
　　　蝦夷地に関わる説明文が載り、カラフト島の図形は最新である。また図中に緯度線を引
　　　くのも新しい試みである。周囲に数多くの地名・里程の一覧を載せている。津軽藩主旧
　　　蔵である。

‥‥‥

050　蝦夷地全図　　　　151.4cm × 120.5cm

所蔵機関：古河歴史博物館「鷹見家資料」　　　　　　　　　　請求番号：H403

解説：049図と同様である。近藤重蔵作成の図を古河藩家老・鷹見泉石が、文化8（1811）
　　　年に正確に写し取ったものである。泉石は勤務のなか、数々の北方図を写し取ったこと
　　　が知られている。

‥‥‥

051　松前絵図　　　　159.0cm × 148.7cm

所蔵機関：秋田県公文書館　　　　　　　　　　　　　　　　　請求番号：県C-363

解説：図のなかに作成の経過が記され、それによると、種々の資料に基づいて作成した旨が
　　　書かれ、「文化三寅秋制図成、羽州産草莽之臣、岡部牧太秀緒」とある。岡部牧太は出
　　　羽国（現秋田県）出身らしいが、文化3（1806）年に本図と次の052図を作成した以
　　　外に、経歴は分かっていない。ただこの図の経過や図形からみて、蝦夷地では近藤重蔵
　　　と行動を共にしていた気配がある。図は近藤重蔵作成の享和2（1802）年図と同じ図
　　　形をもつが、内陸部は空白である。そして、カラフト島だけは、何故か大陸に接続する
　　　大きな半島として描かれている。秋田藩旧蔵図である。

‥‥‥

052・053　チュブカ諸島之図　北108.9cm × 60.6cm　南81.1cm × 78.5cm

所蔵機関：秋田県公文書館　　　　　　　　　　　　　　請求番号：県C-354、県C-357

解説：この図にも作成由来の説明があり、最後に「寛政十二庚申七月廿八日、岡部牧太秀緒」
　　　とある。この図もまた近藤重蔵作成の「千島列島図」と同じである。そればかりか、作
　　　成年月日までも同じなのである。わずかに異なるのは、図を2枚に分けて描写してい
　　　ること、作成由来の説明文が重蔵と少し異なる部分があることだけである。「チュプカ」
　　　とは、千島アイヌ語で「東」という意味である。秋田藩旧蔵図である。

‥‥‥

054・055　チュブカ諸島之図　北87.5cm × 55.0cm　南79.0cm × 75.4cm

所蔵機関：秋田県公文書館　　　　　　　　　　　　　　請求番号：県C-355、県C-356

解説：052・053と全くの同図である。わずかに作成由来の説明文に小異があるだけである。
　　　これらの図も秋田藩旧蔵図である。

第 XIX 巻　千島・樺太・蝦夷 [4]
A袋

056　蝦夷唐太写図　138.4cm × 180.4cm

所蔵機関：北海道大学附属図書館北方資料室　　　　　　　　　請求番号：図類 865

解説：近藤重蔵の作成になる蝦夷図の系統をひく図で、蝦夷地本島の図形は等しい。しかし、クナシリ・エトロフ両島の図形は異なり、カラフト島も大陸に接続する半島状に描かれている。また、経緯度線が引かれていることも珍しい。序文と凡例があり、「文化五年歳次戊辰夏六月、江州膳所、沢義周述之」と記し、文化 5（1808）年に近江国膳所藩士・沢義周の作成であることが判明するが、沢義周については知るところがない。同様の図で、この図の後に作成されたものが市立函館図書館に所蔵されている。

057　今蝦夷地形図　141.0cm × 144.0cm

所蔵機関：国文学研究資料館「津軽家文書」　　　　　　　　　請求番号：22B-2333

解説：内題「慥斎改正今蝦夷地形図」と記す図で、「寛政十一年己未之春改訂旧諸図以造焉」とある。山田聯（号を慥斎という）の作成図で、彼は地理学者で堀田正敦に仕えた人物である。文化 4（1807）年、正敦の蝦夷地巡視の際、随行して、有珠から江差までを視察した。この後、聯は、蝦夷地に関心を深め、多くの蝦夷地関係の地誌や地図を著作・作成している。本図は寛政 2（1790）年に最上徳内が著わした『蝦夷草紙』付図 5 枚の内、4 枚を合体して作成した図であり、蝦夷地内陸部の計画道路の朱線は、文化 2 年頃の近藤重蔵作成図に基づいたものである。したがって、文化 4 年以降の作成であり、「寛政 11 年云々」の記載には疑問が残る。津軽藩主旧蔵である。

058　蝦夷詳図　133.3cm × 130.5cm

所蔵機関：東北大学附属図書館　　　　　　　　　　　　　　　請求番号：狩 3-9254-1

解説：057 と同様の山田聯の作成図である。書き入れ文は少ない。

059　蝦夷島地図　238.8cm × 233.5cm

所蔵機関：京都大学総合博物館　　　　　　　　　　　　　　　請求番号：乙 4-71

解説：伊勢国宇治山田（現三重県伊勢市）出身で、地理学者・画家でもあった秦檍丸（はた・あわきまろ、別名、村上嶋之允）の作成した自筆の大型図である。「文化五年夏四月、秦檍丸㊞㊞」とあって、文化 5（1808）年の作成である。地名は詳細で、内陸部の河川も本流・支流ともに詳しく描写されるが、北部が少し長く延びすぎ、東部が少し短すぎる図形である。蝦夷地一円の里程表もあり、「蝦夷帰漁図・松前・箱館・江差」の絵画を載せているのは、いかにも画家らしい。この図は、後に 2 枚、3 枚に分けて作成されている。

B袋

060 松前蝦夷地嶋図

① 108.5cm × 117.5cm、② 134.0cm × 116.2cm、③ 80.5cm × 117.2cm

所蔵機関：北海道大学附属図書館北方資料室 　　　　　　　　　請求番号：図類651

解説：059を3枚に分けた図である。「文化十三丙子年二月、村山直之写之㊞」と記載があるので、文化13（1816）年に写された図である。村山直之は当時石狩場所請負人であった六代目・阿部屋村山伝兵衛のことである。

061 北海道全図　　128.3cm × 111.8cm

所蔵機関：北海道大学附属図書館北方資料室 　　　　　　　　　請求番号：軸物37

解説：文化5・6年（1808～9）の2年間にわたったカラフト島と対岸の黒竜江周辺の探検調査を終えて、江戸へ帰着した間宮林蔵は、同8年から、江戸で伊能忠敬に測量術を学び、再び、蝦夷地の測量を実施する。江戸と蝦夷地との往復を繰り返しながら、文政4（1821）年まで断続的に続けられた。その結果、作成されたのが本図である。蝦夷地の沿岸線の輪郭は正確であり、沿岸・内陸部ともに詳細に地名を記入し、500にのぼる河川が描写されている。同じ図は国立公文書館にも所蔵されている。

第XX巻　千島・樺太・蝦夷 [5]
A袋

062　松前全図　　　98.0cm × 132.0cm

所蔵機関：八戸市立図書館　　　　　　　　　　　　　　請求番号：EZ-602（11-9-2）

解説：天文方・高橋景保は間宮林蔵の作成した蝦夷図を基本とし、内外の多くの資料を駆使して、文政年間（1818 ～ 29）に新たな蝦夷図を編集した。それが国立国会図書館所蔵の『蝦夷全図』である。本図はその写しの1枚であり、従来知られていない図である。八戸藩旧蔵図である。

063　蝦夷図

所蔵機関：ライデン大学図書館（オランダ）

解説：最上徳内は出羽国楯岡村（現山形県村山市）出身で、幕府に仕えた人物である。天明5（1785）年以来、幾度も蝦夷地の調査に携わり、代表する著作に『蝦夷草紙』がある。本図は5枚組であり、内訳はクナシリ島を含む蝦夷地図3枚、カラフト島地図2枚からなる。図形を検討すると、蝦夷地・クナシリ島は文化5（1808）年作成の秦檍丸『蝦夷島地図』に基づきながらも図形に修正も見られる。カラフト島は、南部は享和元（1801）年に幕吏の中村小市郎・高橋次太夫が作成した図に基づき、北部は中国の康熙帝の命によって作られた『皇輿全覧図』系の「十六省九辺図」によるものと推定される。作成年は不詳で、シーボルトが文政9（1826）年、江戸参府で4月に江戸に到着して以来、徳内に数回会い、5月下旬、他の地図と共に徳内から贈られたものである。したがって文政9年以前の作成であることしか分からない。日本国内からは1枚も見つかっていない。

B袋

063　蝦夷図

所蔵機関：ライデン大学図書館（オランダ）

解説：A袋からの続きである。

064　蝦夷地絵図面　　　112.0cm × 74.2cm

所蔵機関：秋田県公文書館　　　　　　　　　　　　　　請求番号：A292-31

解説：文化末年から文政初年（1813 ～ 20）頃に作成されたと推定される図である。多数の類図が現存し、当時いかに広く流布したかが窺われる。図の周囲に地名一覧を載せるものも多いが、本図では省略されている。カラフト島は文化6（1809）年にカラフト島・黒竜江下流付近を探検した間宮林蔵の作成図が用いられている。カムチャツカ半島から千島列島も描かれている。秋田藩旧蔵図である。

065　松前全図　　　　　134.8cm × 79.3cm

所蔵機関：八戸市立図書館　　　　　　　　　　　　　　　　　　請求番号：11-9-1

解説：064 と同様の図で、カムチャツカ半島と千島列島が省略されている以外に異なるところがない。八戸藩旧蔵である。

066　蝦夷地之図　　　　　108.0cm × 77.7cm

所蔵機関：八戸市立図書館　　　　　　　　　　　　　　　　　　請求番号：11-9-5

解説：064 と同様の図で、やはり、カムチャツカ半島と千島列島が描かれていない。八戸藩旧蔵である。

第XXI巻　千島・樺太・蝦夷 [6]
A袋

067　蝦夷地図 附エトロフ・クナシリ島略図　　　　**88.8cm × 102.0cm**

所蔵機関：明治大学図書館「蘆田文庫」　　　　　　　　　　　　　請求番号：10-8

解説：他に類を見ない図形をもつ蝦夷図である。地形の描写や地名の記入は、いずれも沿岸のみで、内陸部はほとんど空白である。書き入れ文が多く、内容は蝦夷地の地形、島々の広さ、沿岸や沖合における風の様子、難所の有無、各地への里程、などについて記している。

068　蝦夷地北蝦夷地図　　　**106.6cm × 68.7cm**

所蔵機関：古河歴史博物館「鷹見家資料」　　　　　　　　　　　　請求番号：H400

解説：古河藩家老・鷹見泉石が編集・作成した蝦夷図である。カラフト島図は間宮林蔵作成図、蝦夷地図は近藤重蔵作成図を利用して仕上げている。各所への里程・航路を載せる。「嘉永二己酉年仲秋愚撰」とあって、嘉永2（1849）年の作成であることが分かる。「鷹見家資料」の中には、間宮林蔵カラフト島図、近藤重蔵蝦夷図も別に所蔵されている。

069　蝦夷諸島接壤全図

①カラフト **113.5cm × 96.6cm**　②エゾ **145.6cm × 112.1cm** ③千島 **41.7cm × 175.8cm**

所蔵機関：北海道大学附属図書館　　　　　　　　　　　　　　　請求番号：図類613

解説：沖正蔵は伊勢国白子（現三重県鈴鹿市白子）で、代々伊勢型紙商の家に生まれる。通称を安海という。本居大平に師事して国学・儒学・歴史を学び、漢詩や和歌も詠んだ。その正蔵が作成した蝦夷図（3枚組）である。1枚は蝦夷地本島・クナシリ島、1枚は千島列島、1枚はカラフト島を美麗に描いている。図形は当時流布していたものに基づいているが、カラフト島は不正確である。経緯度線も引かれている。説明文によると、多くの書籍・地図類を参考にして作成したようである。本図は安政3（1856）年作成の正蔵自筆図であり、さらに市立函館図書館にも同様に、正蔵自筆図（3枚組）が所蔵されている。

B袋

070　蝦夷闔境輿地全図　　　**125.0cm × 100.0cm**

所蔵機関：北海道大学附属図書館北方資料室　　　　　　　　　請求番号：図類623-1

解説：幕末に刊行された代表的な蝦夷図である。図を描いたのは、浮世絵師・橋本玉蘭斎である。玉蘭斎は貞秀・玉蘭・五雲亭などと号し、鳥瞰図や地図を得意とし、膨大な横浜浮世絵を描いたことでも知られる。本図は大型で美麗なものであったから、大いに流布したようで、現存するものが多い。嘉永6（1853）年版が初版で、翌7年に再版されている。

— 81 —

071　蝦夷之地略図　　　　37.0cm × 50.5cm

所蔵機関：北海道大学附属図書館北方資料室　　　　　　　　請求番号：軸物 113

解説：嘉永 7（1854）年に『蝦夷地理之図』（結城甘泉識）と同時に、付録『蝦夷品彙訳言』
　　　という絵入りアイヌ語手引書が刊行された。本図は安政 2（1855）年頃、「地理之図」と「品
　　　彙訳言」の中の風景画とアイヌ風俗画を合わせて、絵図として刊行されたものである。
　　　絵画の中に蝦夷図を取り入れた珍しい図である。

072　北海道国郡図　　　　108.0cm × 92.0cm

所蔵機関：北海道大学附属図書館北方資料室　　　　　　　　請求番号：図類 704-1

解説：明治 2（1869）年 8 月、「蝦夷地」は「北海道」と改称され、11 国・86 郡が設置された。
　　　このときから開拓使のもとで、北海道の近代化がすすめられることになった。本図は、
　　　開拓判官・松浦武四郎の作成になり、題言は民部卿・伊達宗城、漢詩は初代開拓使長官
　　　・鍋島直正、和歌は 2 代目開拓使長官・東久世通禧である。明治 2 年 12 月に開拓使から
　　　刊行され、大いに流布した。

073　北海道国郡略図　　　　37.5cm × 51.5cm

所蔵機関：京都大学附属図書館「室賀文庫」　　　　　　　　請求番号：YG21/5-22

解説：072 についで、開拓使から刊行された小型図である。安政 7（1860）年刊行の『蝦
　　　夷闔境山川地理取調大概図』（松浦武四郎作成）の凡例を替え、鍋島直正の漢詩を再掲し、
　　　新たに国郡名を追加して、明治 2（1869）年に再刊された。

074　校正北海道図　　　　71.0cm × 38.0cm

所蔵機関：北海道大学附属図書館北方資料室　　　　　　　　請求番号：図類 665

解説：本図は『校正大日本輿地全図』（橋本玉蘭斎画）に載った「北海道図」を単独で刊行
　　　したものである。「明治四辛未十二月官許、同五壬申八月開板、東京書房、山崎清七・
　　　瀬山庄助合梓」とある。図形は松浦武四郎の作成図と同様で、別に「各支配藩主名」も
　　　載せている。明治 5（1872）年に刊行され、現存の少ない図である。

075　北海道実測図　　　　126.0cm × 131.0cm

所蔵機関：北海道大学附属図書館北方資料室　　　　　　　　請求番号：図類 702

解説：開拓使の政策の 1 つに、近代測量の実施があった。明治 5（1872）年、アメリカ人ワ
　　　スソンを測量長に任命し、翌 6 年 3 月から三角測量を開始した。その後、ワスソンに代わっ
　　　てディが中心となり、荒井郁之助や福士成豊等と共に、全道各地を測量し、製図を作成
　　　していった。本図はこの時期の近代測量に基づいた「北海道実測図」（縮尺 50 万分の 1）
　　　である。「明治八年十二月、開拓使」の序文が載るが、実際の刊行は、翌 9 年と推測される。
　　　沿岸部はケバ描法によって山地を表し、河川はやっと石狩川のみが上流に延びようとし
　　　ているだけで、空白部分が多い。東京銀座彫刻会社から石版印刷された図である。

076　三角術測量北海道之図　　　　**53.2cm × 55.0cm**

所蔵機関：北海道大学附属図書館北方資料室　　　　　　　**請求番号：図類668**

解説：近代測量の成果は、さらに『北海道測量報告』（英文版：付図9枚）で示される。付
　　図9枚の内、「三角術測量北海道之図」（縮尺125万分の1）は、075図に比較して、
　　天塩川・石狩川・十勝川が大幅に測量されたことが判明する。序文は先の図とほぼ同じ
　　で「明治八年十二月、開拓使地理課」とあるが、実際の刊行は同10年以降と推定され
　　る。本図はこの付図に、さらに「千島列島図」を追加し、国郡界線を入れて国郡名を記
　　入、それを石版彩色刷で再版したものである。

第XXII巻　千島・樺太・蝦夷 [7]
A袋

077　松前屏風

所蔵機関：松前町資料館

解説：宝暦年間（1751〜63）を中心とした時期に、松前で活躍した風俗画家・小玉龍円斎貞良が松前城下の様子を描いた6曲半双屏風である。白神岬から根部田にいたる松前城下町の壮大な全景を描き、福山館（後の松前城）を中央にして、武家屋敷・寺院・商家などの街並み、海には帆船・磯船、さらに人々の賑わいの様子が克明に描かれている。貞良の経歴は不詳であるが、松前に住んで数多くのアイヌ風俗画を描いたことでも知られている。本作品は昭和52年9月、北海道有形文化財に指定されている。

078　松前市中地図　　106.0cm × 212.0cm

所蔵機関：国文学研究資料館「津軽家文書」　　　　　　　　　請求番号：22B-2167

解説：伊勢国宇治山田（現三重県伊勢市）出身で、測量・地理と絵画に優れていた秦檍丸（別名、村上嶋之允）が、文化3（1806）年に作成した自筆の松前市街図である。地図の入っている木箱の蓋に次のように記される。表「文化四丁卯年二月御預御小姓組預、松前江刺市中地図　弐冊」、裏「文化三丙寅年、公儀軽き御役之者、村上嶋之允より上ル」。図は松前城下を一望できるように描かれ、松前城を中心にして街並みを詳細に描いている。以降、松前市街図はこの図が多く写し継がれていくことになる。津軽藩主旧蔵図である。

079　江刺市中地図　　107.0cm × 159.0cm

所蔵機関：国文学研究資料館「津軽家文書」　　　　　　　　　請求番号：22B-2168

解説：078と対になるもので、文化3（1806）年、秦檍丸の作成した自筆の江刺（現江差町）市街図である。当時の江差は、松前・箱館と共に、北前船の往来で賑わい、多くの物資が流通し、文化的にも繁栄し、「蝦夷地の三湊」と言われ、「江差の春は江戸にもない」と言われた地である。津軽藩主旧蔵図である。

080　松前市中絵図　　115.0cm × 220.0cm

所蔵機関：秋田県公文書館　　　　　　　　　　　　　　　　　請求番号：県C-362

解説：078と同様の図で、対の081図によって文化4（1807）年の写しであることが分かる。秋田藩旧蔵図である。

081　松前市中地図　　118.2cm × 213.0cm

所蔵機関：千秋文庫博物館　　　　　　　　　　　　　　　　　請求番号：NO12

解説：078と同様の図で、秋田藩主旧蔵図である。

082　餌指湊地図　　　119.0cm × 161.6cm

所蔵機関：千秋文庫博物館　　　　　　　　　　　　　　　　請求番号：NO13

解説：079と同様の図で、秋田藩主旧蔵図である。

083　奥州松前之図　　　54.7cm × 161.5cm

所蔵機関：三井文庫　　　　　　　　　　　　　　　　請求番号：C681-41

解説：078とは異なる松前市街図である。海岸線は真っ直ぐに延び、松前城を中央にして、街並みには多くの家臣名が見え、寺院名も散見する。「奥州松前城下之図、西丸御小人目付古山勝五郎蔵せらる懇需之借矢内勇馬士ニ頼謄写せらる宮氏家蔵とせり、文政五壬午十一月」とあって、文政5（1822）年の写しである。

084　松前御城細縮図　　　81.0cm × 185.0cm

所蔵機関：もりおか歴史文化館「南部家蔵書」　　　　　　請求番号：史35-5-050

解説：078とほぼ同じ範囲を描いた松前城下図であるが、やはり、沿岸に近い道路は直線的に引かれ、城下周辺の道路も目立つように明瞭に描かれている。また、図の中央に松前城が大きく描かれた美麗な図である。南部藩主旧蔵である。

085　箱館市中細絵図　　　80.2cm × 131.0cm

所蔵機関：東北大学附属図書館　　　　　　　　　　　請求番号：狩3-9279-1

解説：箱館（現函館市）は、寛政年間（1789〜1800）になって繁栄していくことになる。その市街平面図で、古いものは、享和年間（1801〜3）の図があり、市立函館図書館に所蔵される。本図は「嘉永七甲寅年十月調、箱館市中細絵図面、壱丁凡弐寸積」と記し、嘉永7（1854）年の写しで、「御役所屋舗・沖ノ口・御作事所・築島」などの他に、「元南部家勤番屋舗・高田屋金兵衛（高田屋嘉兵衛弟）拝借地・牢屋舗」などもあり、寺院も多く見える。

B袋

086　箱館全図　　　116.5cm × 181.0cm

所蔵機関：北海道大学附属図書館北方資料室　　　　　　請求番号：図類633

解説：箱館山を大きく描き、麓に広がる箱館市街地を詳細に表現している。麓から山頂にかけて幾本もの山道が引かれ、海岸にある多くの岩石や洞穴の名称も記載していて、山上から麓にかけて三十三番観音も見える。市街地には「御役所・町会所・沖ノ口御役所・遠見番処」などがある。安政2（1855）年頃、蝦夷地警備を命じられた南部藩の作成図である。

― 85 ―

087　南部津軽松前浜通絵図　　213.0cm × 201.3cm

所蔵機関：市立米沢図書館「岩瀬家文書」　　　　　　　　　　　請求番号：698

解説：津軽海峡を挟んで、蝦夷地は箱館湊から沿岸を通って松前城下までを描き、津軽地方は大きく下北半島と津軽半島を描いている。津軽海峡（江戸期にはこの名称はない）には難所と言われた竜飛之潮、中之潮、白神之潮の3潮流が描かれ、その中を各所への航路が引かれている。「津軽番所・仙台勢詰・南部勤番所」などと記され、文化年間（1804～17）の東北諸藩の蝦夷地警備のために作成された図であろう。

088　津軽海峡航海図　　46.2cm × 58.3cm

所蔵機関：弘前市立弘前図書館「伊東家文書」　　　　　　　　請求番号：KF558-1

解説：津軽海峡を挟んで、松前地方と津軽地方の沿岸を描写した木版無彩図である。松前側の中央部に、「松前城下問屋、張江太次兵衛」と記し、これが版元であろうか。地名は松前側に47、津軽側に45がある。航路線は引かれていない。書き入れ文として「江指ヨリ松前へ十八リ、松前ヨリ三馬屋へ十五里、奥戸湊―九艘泊へ十七リ、松前ウスケシへ四リ、タツヒ崎ヨリ白カミ崎へ七里、北沖ウズ強巻汐懸リ」などと記している。本図の作成年は不明で、他に所蔵を聞かない珍しい図である。

089　筥館近海亜人測量図　　① 51.2cm × 71.8cm、② 53.5cm × 76.6cm

所蔵機関：もりおか歴史文化館　　　　　　　　　　　　　　請求番号：史 50-2-003

①「亜人箱館近海測量之図」は経緯度線のある図で、津軽海峡を挟んで、津軽地方と蝦夷地沿岸を描いている。安政3（1856）年に箱館に入港したアメリカ船が測量した旨の記述がある。

②「筥館近海亜人測量図」は、箱館山から箱館湾を望み、遠く茂辺地・当別付近までを描いている。安政5（1858）年に箱館に入港したアメリカ船が測量したとの記録を載せる。両図とも南部藩主旧蔵である。

090　東蝦夷地ウス場所絵図面　　37.0cm × 105.7cm

所蔵機関：東北大学附属図書館　　　　　　　　　　　　　　請求番号：狩 3-9286-1

解説：西はアフタ（現虻田）から東はモロラン（現室蘭市）までの範囲を描いた場所図である。幕末のウス（現有珠）場所の知行主は新井田家であり、場所請負人は和賀屋宇兵衛である。図には、境杭、会所、神社、漁小屋、明松蔵、古道、新道、本道などが見える。安政年間（1854～60）の図と思われる。

091　東蝦夷サル場所絵図　　27.6cm × 77.8cm

所蔵機関：東北大学附属図書館　　　　　　　　　　　　　　請求番号：狩 3-9285-1

解説：西はユウフツ（現勇払）領境から、東はニイカップ（現新冠）領境までのサル（現沙流）場所を描いた図である。幕末のサル場所の知行主は小林家であり、場所請負人は山田屋

文右衛門である。中央に「サル会所」が見える。「会所」とは、場所経営の中心となる
施設である。安政年間（1854〜60）の図と思われる。

092　西蝦夷地石狩場所絵図　　56.0cm × 136.6cm

所蔵機関：北海道大学附属図書館北方資料室　　　　　　　　　　　請求番号：図類349

解説：石狩川河口から上流してチュクベツフト（現旭川市付近）周辺まで描写した図である。
サツホロ（現札幌市）からヲタルナイ（現小樽市）、千年（現千歳市）会所付近にかけ
て支流が多く描かれ、地名も詳細であるが、上流にゆくほど地名は少ない。センハコ（現
小樽市銭函）からシマヽフ（現北広島市島松）、さらに千年会所まで朱線を引き、それ
ぞれへの里数を記載している。本図は模写である。

093　福山江差地方絵図　　　　54.8cm × 77.0cm

所蔵機関：東北大学附属図書館　　　　　　　　　　　　　　　　請求番号：狩3-9287-1

解説：図には年紀も氏名も記されていないが、松前藩士・今井八九郎の作成図であることは
間違いない。八九郎は諱を信名、号を不山という。間宮林蔵から天文・地理を学び、測
量術を習得したと言われる。文政11（1828）年、蝦夷地全域の測量を命じられ、天保
9（1838）年に全ての測量が終了した。安政6（1859）年には、幕府直轄領と松前藩
領との境界確認のために、松前周辺の測量を実施した。本図は知内から福山を経由して、
伏木戸・関内あたりまでを描き、内陸部には境界線らしき朱線が引かれている。

第XXII巻　千島・樺太・蝦夷 [8]

094　餌指湊地図　　　114.0cm × 162.5cm

所蔵機関：秋田県公文書館　　　　　　　　　　　　　　　　請求番号：県 C-360

解説：「餌指」は現在の江差町である。079 と同様の図で、「文化四年丁卯初秋写之」と記され、
文化 4（1807）年の写しである。秋田藩旧蔵図である。

095　東蝦夷地クスリより箱館迄廿六場所図

所蔵機関：古河歴史博物館「鷹見家資料」　　　　　　　　　請求番号：C212

解説：「場所」とは、蝦夷地でのみ実施された独自の経済地域である。松前藩の重臣である
知行主へ一定の運上金を上納して交易権・漁業権を得た経営者（場所請負人）が、定め
られた地域で和人・アイヌ人を使役して漁業を行ない、収益を得る仕組みである。本図
はクスリ（現釧路市）から箱館（現函館市）までの東蝦夷地沿岸（太平洋沿岸）に連続
する場所、ミツイシ・シラヲイ・ヤムクシナイなど 26 場所を描いた巻子本である。

096　東蝦夷地海岸之図

所蔵機関：もりおか歴史文化館「南部家蔵書」　　　　　　　請求番号：史 35-5-064

解説：南部藩は、寛政期から文化期、安政期と蝦夷地が幕府の直轄領になるたびに、度々
蝦夷地の警備を命じられてきた。安政 2（1855）年、蝦夷地が再び幕府領になると、4
月になって松前藩の他に、津軽・南部・仙台・秋田の 4 藩にも、蝦夷地各所への警備
を命じた。南部藩の警備地は箱館（現函館市）からホロベツ（現登別市）まで、現在の
内浦湾一帯の範囲であった。元陣屋は箱館に置き、出張陣屋はモロラン（現室蘭市）に
設置した。本書はその時期に警備地を視察・調査した折りの報告書にあたるもので、安
政 2 年、南部藩士・長沢盛至の著作である。上部に文章が、下部に絵図を描いている。
南部藩主旧蔵である。同じものが市立函館図書館に「東蝦夷地海岸図台帳」として所蔵
され、いずれも盛至の自筆本と推定される。

097　桧山尓志絵図　　　117.9cm × 147.9cm

所蔵機関：北海道大学附属図書館北方資料室　　　　　　　　請求番号：図類 421

解説：本図にも年紀・署名はないが、描写方法によって今井八九郎の作成図であることが判
明する。093 図よりさらに狭い範囲を描写して、小砂子（現上ノ国町）から石崎・木ノ子・
上ノ国を過ぎ、柳崎・乙部を経由して、熊石（現八雲町）に至る範囲を描き、内陸部も
詳しく河川や山々も数多く描いている。本図よりさらに広範囲を描いた「福島津軽桧山
爾志絵図」が北海道立図書館に所 蔵される。

千島列島地図

098 蝦夷松前小図　　36.0cm × 340.2cm

所蔵機関：八戸市立図書館　　　　　　　　　　　　　請求番号：EZ-603（11-9-3）

解説：経緯度線を引き、経緯度数を記入した大型図面で、クナシリ島からカムチャツカ半島までを描いた詳細な千島列島図である。島の一つ一つに、アイヌ語地名とロシア語地名の両方を記載する。カムチャツカにある湾の1つを別枠に大きく描き、周辺の様子を詳しく記している。文化年間（1804〜17）の作成図と推定される。八戸藩旧蔵図で、同様の図は国立公文書館にも所蔵される。

099 蝦夷千島図

所蔵機関：東北大学附属図書館　　　　　　　　　　　請求番号：狩3-9262-1

解説：「ウルツフ嶋よりカンサツカ迄嶋之絵図」と記すように、ウルップ島よりカムチャツカ半島までの島々を描く図である。文化年間（1804〜17）の作成と推定される。

100 松前蝦夷地絵図面　　46.8cm × 199.5cm

所蔵機関：酒田市立光丘文庫　　　　　　　　　　　　請求番号：3361

解説：享和3（1803）年、南部領牛滝村の沖船頭・継右衛門等14人は、海産物を積んで箱館近在の村から江戸方面に向かった。その後、大暴風に遭い、漂流の後、カムチャツカに上陸、ここで生活しながら、船を造り、文化2（1805）年、カムチャツカを出帆し南下しながら途中で越年、翌3年、やっとエトロフ島に到着、直ちに勤番所へ申し出た後、再び越年。同4年4月、残った6人がついに箱館へ帰着したのである。本図は継右衛門一行がロシアで見た地図などを参考にしながら作成したものである。裏面に「蝦夷地里数」と題する長文の地名・里程表が載る。

101 蝦夷諸島新図　　26.0cm × 122.4cm

所蔵機関：北海道大学附属図書館北方資料室　　　　　請求番号：図類626

解説：これも100図と同様に、牛滝村の継右衛門一行によって作成された千島列島図である。100図に記載されたものと同じような由来の文言が書かれている。この漂流に関する報告書が『南部領牛滝村船方之者共魯西亜江漂流上申書』で、市立函館図書館に所蔵される。

102 蝦夷地久奈志利嶋図　　50.2cm × 121.3cm

所蔵機関：古河歴史博物館「鷹見家資料」　　　　　　請求番号：H415

解説：「文化三丙寅仲秋念四写之、山崎重教」、「此図者野州城内皆川村新蔵所蔵也、新蔵嘗謂従御勘定某君在蝦夷地一年至久奈志利而自製之云、文化四丁卯仲秋、鷹見忠常写之」と記し、文化4（1807）年に古河藩家老・鷹見泉石が写した図であることが分かる。同島の「周廻船路」を掲載し、図中には会所・蝦夷小屋なども見える。同図は北海道大

学附属図書館北方資料室にも所蔵される。

103 クナシリ島泊番所附近之図　　54.3cm × 81.0cm

所蔵機関：北海道大学附属図書館北方資料室　　　　　　　　　　　　請求番号：図類 864

解説：「クナシリ蔦之内泊御会所廻仙台持場并石火矢台之図」と記す図である。文化 3（1806）年から 4 年にかけの露寇事件が起こり、幕府は東北諸藩に対して蝦夷地の警備を命じた。この時、クナシリ島警備を命じられたのが、南部藩と仙台藩であった。本図はクナシリ島トマリに設置された仙台藩の警備の様子を描写したものであり、仙台居小屋・南部居小屋・石火矢台・会所・漁小屋などが見える。「文化五辰年七月下瀚、於筥館亀田千代ケ丘陳営写之」と記載され、文化 5 年に筥館（現函館市）で写された図である。

104 東蝦夷地クナシリ嶋図　　75.0cm × 107.2cm

所蔵機関：古河歴史博物館「鷹見家資料」　　　　　　　　　　　　　　請求番号：H411

解説：102 とはまた別のクナシリ島図である。岸壁・岩礁・山々などの描写が立体的な精写図である。書き入れ文も多く、「リルチシ〜此山崎汐込ノ節通行成難シ」、「エチンベツ〜此処ヨリフルカマツフ番屋迄山道三里、此処鷲トリ場、温泉場、烽火」などと記載する。「天保四巳年九月写、楓所」とあり、「楓所」とは古河藩家老・鷹見泉石の号である。天保 4（1833）年に泉石が写した図である。

105 クナシリ嶋惣絵図　　63.0cm × 216.0cm

所蔵機関：斎藤報恩会自然史博物館　　　　　　　　　　　　　　　　請求番号：A-Ⅲ597

解説：大型で詳細な図である。内陸部に大きな山や沼を描き、地名や書き入れ文も多い精写図である。トマリ周辺には勤番所、御役宅、運上屋、イナリ社、弁天社なども描かれ、これらは仙台藩の陣営である。同図は早稲田大学図書館にも所蔵される。

106 エトロフ・クナシリ新図　　151.6cm × 113.8cm

所蔵機関：北海道大学附属図書館北方資料室　　　　　　　　　　　　請求番号：図類 627

解説：寛政 11（1799）年、エトロフ島の開拓に従事していた近藤重蔵は、クナシリ島からエトロフ島への渡海が困難であることを知り、高田屋嘉兵衛に安全な航路の開発を命じた。嘉兵衛は何日もかけてクナシリ水道の潮流を見極め、持ち船・宜温丸で渡海し、ついに安全な航路を見出したのである。本図はこの時の航路を描いたものである。「西蝦夷地汐・唐太汐・北海汐」の 3 つの潮流を描き、「夷舟路・宜温丸舟路・宜温丸針路」の航路線を引いている。各所に沖合の深さも示している。

107 エトロフ動乱之砲図式　　27.5cm × 170.0cm

所蔵機関：弘前市立弘前図書館「岩見文庫」　　　　　　　　　　　請求番号：GK215-153

解説：文化 2（1805）年、ロシア使節・レザノフは長崎での交渉に得るものがなく、帰国の途についた。同 3 年から翌 4 年に、部下は威嚇として、カラフト島・クナシリ島・

エトロフ島で、襲撃発砲放火事件を起こす。有名な「魯寇事件」である。この際に舞台
となった1つ、エトロフ島の見取絵図である。公儀会所、津軽・南部両陣屋が描かれ、「上
下蝦夷地異国船之事」と題する事件のあらましを文章にして記載する珍しい図である。

108　蝦夷ヱトロフ島図　　　53.3cm × 78.5cm

所蔵機関：三井文庫　　　　　　　　　　　　　　　　　　　請求番号：C580-26

解説：文化年間（1804〜17）に作成されたと推定される図である。数多くの地名が載り、
　　　書き入れも幾つか見られる。当時を代表する図形をもつヱトロフ島図である。

109　ウルツフ嶋見取絵図　　27.4cm × 282.0cm

所蔵機関：北海道大学附属図書館北方資料室　　　　　　　　請求番号：図類864

解説：ウルップ島の北部のみを描いた珍しい図である。「ラソワ夷人穴居小屋・此所箔相見
　　　申候・魯西亜人穴居跡・此所温泉有」などと書かれている。

樺太島図

110　加良不止嶋図　　　77.3cm × 55.8cm

所蔵機関：東北大学附属図書館　　　　　　　　　　　　　　請求番号：狩3-9270-1

解説：天明期（1781〜88）に作成されたと推定される図である。カラフト島の形は、実
　　　際とは大いに異なり、ほぼ円形状に描かれ、中央に大きな湖を描いて「わたり十里余」
　　　と記す。地名や書き入れは豊富であり、「天明五乙巳年、青島俊蔵蝦夷ヲ卒シテ是迄巡
　　　見ス、同人著述スル処ノ蝦夷拾遺ノ書記ニ因テ惑聞ヲ決シ新図ヲ成考爾」と記して、幕
　　　府による天明調査隊一行に関わる図とも思えるが、調査隊の作成図とは異なっている。

111　カラフト嶋図　　　190.5cm × 155.5cm

所蔵機関：東北大学附属図書館　　　　　　　　　　　　　　請求番号：狩3-9271-1

解説：この図も文化年間（1804〜17）頃の作成と推測される図である。南部を大きく描き、
　　　ノトロ岬からアニワ湾を経てシレトコ岬に至り、さらに北部に延びている。地名は詳細
　　　だが、書き入れ文はない。西側の海に浮かぶ「トヽモシリ」は、後の「海馬島」である。

112　樺太地図　　　82.0cm × 34.0cm

所蔵機関：八戸市立図書館　　　　　　　　　　　　　　請求番号：EZ-604（11-7-9）

解説：幕府雇であった間宮林蔵は、蝦夷地やクナシリ・エトロフ島で勤務した後、文化5
　　　（1808）年、松田伝十郎と共に、カラフト島の検分・調査を命じられた。伝十郎は西海
　　　岸を、林蔵は東海岸をそれぞれ北上する。林蔵は途中から南下して西海岸に出て、伝十
　　　郎と合流し、再び北上して対岸を遠望し、島が海峡で隔てられていることを確認した。
　　　本図はこの第1回目の検分によって作成された。西海岸の北部は想像によるものである。
　　　八戸藩旧蔵図である。

113　黒竜江中洲幷天度　　　80.2cm × 39.8cm

所蔵機関：北海道大学附属図書館北方資料室　　　　　　　　　　請求番号：図類 872

解説：カラフト島から帰着した間宮林蔵は、単独で再びカラフト島の検分・調査を命じられ、
　　　東海岸を北上、ここで越年した。翌文化 6（1809）年、海峡を渡って対岸の大陸に渡
　　　り、満州仮府のあるデレンに到着、ここで清国と少数民族との交易の様子を詳しく調べ、
　　　黒竜江河口に出て、再び海峡を渡ってカラフト島に戻った。この図は第 2 回目の検分・
　　　調査によって作成された。オランダのライデン大学図書館に自筆図が所蔵され、本図は
　　　その系統の模写図である。西海岸北部は想像によって描かれている。

114　北蝦夷地全島図　　　73.0cm × 52.0cm

所蔵機関：北海道大学附属図書館北方資料室　　　　　　　　　　請求番号：図類 250-2

解説：裏面に「北蝦夷地全島図、戊午六月清水平三郎書上絵図」と記されている。清水平三
　　　郎は、はじめ「場所」の支配人であったが、安政元（1854）年に松前藩の士分となっ
　　　た。アイヌ語・サンタン語にも通じ、同 3 年、箱館奉行支配となっている。翌 4 年 8 月、
　　　北蝦夷地（カラフト島）に渡り、交易に従事している。本図は安政 5 年の作成であるが、
　　　黒竜江沿岸の地名は詳細であり、従来のカラフト島図にはみられない書き入れもある。
　　　カラフト島の図形は形を成していない。

115　北蝦夷地図　　　118.8cm × 53.1cm

所蔵機関：北海道大学附属図書館北方資料室　　　　　　　　　　請求番号：図類 610

解説：図中に「北蝦夷地詰御足軽倉内忠右エ門、安政六未年廻嶋見取縮図」とある。倉内忠
　　　右衛門については不詳で、安政 6（1859）年に作成されたものである。カラフト島は、
　　　当時の作成にしては形を成さず、地名の記入も西海岸にのみにとどまる。しかし、対岸
　　　の黒竜江周辺の地名や書き入れ文は詳細である。

116　柯太地図　　　272.0cm × 125.5cm

所蔵機関：北海道大学附属図書館北方資料室　　　　　　　　　　請求番号：軸物 16

解説：明治初年に作成された大型の樺太島図である。北緯 45 度から 54 度までの緯度線を
　　　引き、最南端の「白主領」から、最北端の「顔戸領」まで、細かく 82 区分されている。
　　　これは開拓使が行政区として計画したものであったが、実際には採用されずに終わった。
　　　大陸には「満州・ニカライスケ領・黒竜江・魯西亜国界」の文字がある。明治 8（1875）
　　　年、ロシアとの間に「千島樺太交換条約」が締結し、樺太島はロシア領土となった。図
　　　中に「外務省図書記」の大型蔵書印がある。蔵書印も含めて本図は模写である。原本の
　　　所在は不明である。同図は東京国立博物館資料館にも所蔵される。

117　シラヌシ分間絵図　　71.5cm × 98.7cm

所蔵機関：京都大学附属図書館「谷村文庫」　　　　　　　　　　　　請求番号：5-84C3

解説：シラヌシ（白主）はカラフト島南端の西側に位置し、古くから蝦夷地から北上してこの湊に到着する中継地であり、また交易場所でもあった。シラヌシ地図の現存は極めて少なく、本図以外に所蔵することを聞かない。

近世繪圖地圖資料集成 / 第 1 期（一覧表・目次）
The Collected Materials of Maps and Pictures Produced in Yedo Era / First Series

江戸時代における北方圖解題目録
（第 1 ～ 2 巻、第 4 巻、第 18 ～ 23 巻）
(The Lists and Contents: Maps and Pictures of Yezo, Kuril Islands and Sakhalin
/ The First and Second Volume; The Fourth Volume; from The Eighteenth
Volume to The Twenty-Third Volume)

近世繪圖地圖資料研究会　編
(Edited by The Society for the Study of Japanese Historical Materials In Yedo Era)

高木 崇世芝 解説
(Explained by TAKAGI, Takayoshi)

2018 年 1 月 10 日　初版第 1 刷

編　者　近世繪圖地圓資料研究会
　解説者　高木 崇世芝
　発　行　株式会社科学書院
　〒 174-0056 東京都板橋区志村 1-35-2-902
TEL.03-3966-8600　　　FAX 03-3966-8638
　発行者　加藤　敏雄
　発売元　霞ケ関出版株式会社
　〒 174-0056 東京都板橋区志村 1-35-2-902
TEL.03-3966-8575　　　FAX 03-3966-8638

第 22 巻本体価格　250,000 円
　ISBN4-7603-0379-3 C3325 ￥250000E

江戸時代における北方圖解題目録 ［第 1 ～ 2 巻、第 4 巻、第 18 ～第 23 巻］
　ISBN4-7603-0440-0 C3525 ￥5000E